LES ANNÉES DU SILENCE

– TOME 6 –

L'Oasis

DU MÊME AUTEUR CHEZ LE MÊME ÉDITEUR:

Les années du silence Tome 1: La Tourmente, roman, 1995

Les années du silence Tome 2: La Délivrance, roman, 1995

Les années du silence Tome 3: La Sérénité, roman, 1998

Les années du silence Tome 4: La Destinée, roman, 2000

Les années du silence Tome 5: Les Bourrasques, roman, 2001

Les années du silence Tome 6: L'Oasis, roman, 2002

Entre l'eau douce et la mer, roman, 1994

La fille de Joseph, roman, 1994 (réédition de *Le Tournesol,* 1984)

L'Infiltrateur, roman basé sur des faits vécus, 1996

« *Queen Size* », roman, 1997

Boomerang, roman en collaboration avec Loui Sansfaçon, 1998

Au-delà des mots, roman autobiographique, 1999

De l'autre côté du mur, récit-témoignage, 2001

Les demoiselles du quartier, nouvelles, 2003

Les sœurs Deblois Tome 1: Charlotte, roman, 2003

Les sœurs Deblois Tome 2: Émilie, roman, 2004

Visitez le site web de l'auteur:

louisetremblaydessiambre.com

Louise Tremblay-D'Essiambre

LES ANNÉES DU SILENCE

– TOME 6 –

L'Oasis

Guy Saint-Jean
ÉDITEUR

Données de catalogage avant publication (Canada)
Tremblay-D'Essiambre, Louise, 1953-
Les années du silence
Sommaire : t. 6. L'oasis.
ISBN 2-89455-129-0 (v. 6)
I. Titre. II. Titre : L'oasis.
PS8589.R476A75 1995 C843'.54 C95-940768-5
PS9589.R476A75 1995
PQ3919.2.T73A75 1995

Nous reconnaissons l'aide financière du gouvernement du Canada
par l'entremise du Programme d'Aide au Développement de l'Industrie de l'Édition (PADIÉ)
ainsi que celle de la SODEC pour nos activités d'édition.

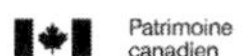

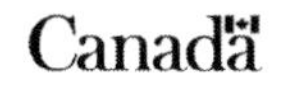

Gouvernement du Québec — Programme de crédit d'impôt pour l'édition
de livres — Gestion SODEC

Conception graphique : Christiane Séguin
Révision : Nathalie Viens
Dépôt légal 3e trimestre 2002
Bibliothèques nationales du Québec et du Canada
ISBN 2-89455-129-0

DISTRIBUTION ET DIFFUSION
Amérique : Prologue
France : CDE/Sodis
Belgique : Diffusion Vander S.A.
Suisse : Transat S.A.

GUY SAINT-JEAN ÉDITEUR INC.,
3154, boul. Industriel, Laval (Québec) Canada H7L 4P7. (450) 663-1777.
Courriel : saint-jean.editeur@qc.aira.com. Web : www.saint-jeanediteur.com

GUY SAINT-JEAN ÉDITEUR FRANCE,
48, rue des Ponts, 78290 Croissy-sur-Seine, France. (1) 39.76.99.43.
Courriel : gsj.editeur@free.fr

Imprimé et relié au Canada

À tous ceux que j'aime, ils sauront se reconnaître…

À Nicole et Marie-Claire,
pour leur confiance et leur soutien…

À Ginette et Hélène, deux amies exceptionnelles…

NOTE DE L'AUTEUR

Nous voici au bout d'un long chemin. Les années ont passé, les générations se sont succédé. La vie a suivi son cours, rivière tortueuse, capricieuse, parfois de cascades et rochers, parfois anse calme éclaboussée de soleil.

Lorsque nous avons rencontré Cécile, elle n'avait que dix-huit ans. L'aube de la vie, l'âge des espoirs les plus fous. 1942, la guerre faisait rage autour d'elle, malmenant bien des destinées. Époque de silence et d'interdits qui brisent les rêves et détruisent les attentes. Époque de tabous dont on ne parlait qu'en chuchotant. Cécile n'y a pas échappé. Elle a beaucoup souffert. Mais comme elle a aussi beaucoup aimé, la vie a finalement consenti à se montrer généreuse.

Aujourd'hui, Cécile est une vieille dame. Alerte, soucieuse des siens, aimante comme jamais, mais une vieille dame tout de même. Elle aspire au repos, à la douceur d'un quotidien sans heurts et sans blessure. Mais il y a François, Marie-Hélène et leur toute petite Laurence, frappés tous les trois par le destin. Il y a aussi Sébastien qui poursuit sa route les sourcils froncés face à un avenir qu'il n'arrive pas toujours à bien cerner. Mélina n'est plus toute jeune et Jérôme prend de l'âge lui aussi. Et il y a tous les autres, Dominique, Denis, Gérard, Gabriel, ses enfants, ses frères, ses amours… Une femme comme Cécile gardera toujours une place privilégiée pour eux dans son cœur. Leur destinée aura toujours de l'importance à ses yeux, même si parfois la vie les a éloignés d'elle pour un temps.

Cécile vient d'avoir soixante-treize ans. Certains jours, elle est vive comme une gamine, à d'autres moments, terriblement fatiguée. Mais une chose est certaine, Cécile continue de brasser la vie à pleines mains quand le besoin s'en fait sentir ou elle s'empresse de la tenir étroitement contre son cœur dans les instants de détente. Sa foi est indéfectible et son amour sans faille…

Première partie

Hiver 96-97

Chapitre 1

« Oublie jamais ça, ma p'tite fille : il y a rien de plus important que d'aimer. Rien de plus beau que de savoir aimer les siens pis de prendre le temps de leur dire... »

Propos de Jeanne Veilleux, mère de Cécile, au printemps 1943

— Alors, Docteur, ces résultats ?

Le médecin hausse les épaules, trace un sourire qui se veut encourageant. Pour lui, rien n'est dit, rien n'est fait. Il faut attendre...

— Ils ressemblent à ce que je vous avais prédit. Mais je vous l'ai expliqué : le résultat d'aujourd'hui ne veut rien dire. Ce n'est que dans trois ou quatre mois que l'on pourra se prononcer avec exactitude. Les résultats qui sont aujourd'hui positifs auront peut-être changé. Ne vous inquiétez pas inutilement.

Rien n'a été dit clairement mais tout est là. Le test pour déceler la présence du virus du sida est positif. Le médecin continue de parler, mais Marie-Hélène ne l'entend pas. Elle a l'impression que le sang se vide de tout son corps. Ses oreilles bourdonnent et elle est lourde, lourde...

D'un pas, François est près d'elle et la soutient fermement tout en glissant la main sous le corps de Laurence. Ils restent là, immobiles, tous les trois enlacés. Le médecin parle toujours mais ils ne l'entendent pas. Cet homme n'a plus rien à faire ici. Il n'a rien à voir avec leur vie... Alors refermant les bras sur sa femme et sa fille, François demande d'une voix sourde :

— S'il vous plaît, pouvez-vous nous laisser ? Je comprends très bien ce que vous essayez de nous dire mais c'est inutile. Rien ne pourrait atténuer notre inquiétude. Rien...

Il porte les yeux sur son enfant. Comme si elle comprenait la gravité du moment, Laurence fixe son père de ce regard bleuté qui n'appartient qu'aux nouveau-nés, de ce regard un peu flou comme s'il portait en lui une portion de ciel, d'éternité et qu'une telle vision était indéfinissable. Alors François resserre son étreinte sur les épaules de Marie-Hélène et, étouffant un sanglot rauque qui lui déchire le cœur, il répète :

— S'il vous plaît, laissez-nous…

Comprenant qu'il n'y a rien à ajouter, réprimant un soupir de tristesse, le docteur Langevin se retire silencieusement. Il connaît l'histoire de ce jeune couple, se surprend encore une fois à penser que la vie est parfois injuste, cruelle. Malgré plusieurs années de pratique médicale, il ne s'habitue toujours pas à voir des enfants souffrir, à soutenir des parents qui s'effondrent de douleur. C'est pour cela qu'il est devenu pédiatre : pour disposer de moyens afin d'aider les enfants à mener une vie heureuse et normale. Puis il consulte la pile de dossiers qu'il porte sous le bras. « Ici, songe-t-il en poussant la porte d'une seconde chambre, il n'y aura que des sourires… » Et relevant le front, il passe à autre chose. Ainsi en a voulu sa vie.

Pendant un long moment, François retient Marie-Hélène contre lui, soutient le corps si léger de sa fille. En cet instant, il a le sentiment profond que c'est l'univers entier qu'il porte dans ses bras. Sa femme et son enfant, les deux êtres pour qui il donnerait sa vie sans hésiter. Les mots du médecin résonnent dans sa tête et il comprend que pour l'instant, son univers est suspendu au-dessus de la vie de sa toute petite fille. Tant qu'il ne saura pas définitivement, François va retenir son souffle et espérer. Il ne lui reste que cela : l'espoir et la rage de vivre et, sentant le corps de Marie-Hélène qui tremble toujours contre le sien, il sait aussi qu'il va devoir espérer pour deux, se battre pour deux. Encore aujourd'hui, Marie-Hélène, c'est un peu Laurence. C'est encore un peu la même vie qu'il sent battre en elles. Penchant la tête, il dépose un baiser léger sur le front de son bébé et, reculant d'un pas, il oblige Marie-Hélène à le regarder en glissant un doigt sous son menton.

— Maintenant, on va y aller… J'ai envie d'être chez nous. Pas toi ?

— Oui, murmure Marie-Hélène.

Dans un soupir, elle ajoute :

— N'importe où pourvu que ce ne soit pas ici...

Ils n'ont pas échangé plus de trois mots tout au long du chemin les ramenant à leur appartement. Marie-Hélène s'est assise à l'arrière de l'auto près de Laurence et ne l'a pas quittée des yeux. Dès qu'elle est entrée dans l'appartement, la jeune femme a laissé tomber son manteau sur le sol et a déposé le bébé sur le divan pour la retirer de ses nombreuses couvertures. La petite dort toujours à poings fermés, un vague sourire sur ses lèvres. Impulsivement, Marie-Hélène la prend tout contre elle. Sa toute-petite, son amour, sa raison d'être. Jamais elle n'a ressenti autant de pulsions d'amour envers quelqu'un. Ce tout petit bébé s'est frayé un chemin jusqu'à son cœur dès son premier cri et rien ne saurait l'éloigner de Marie-Hélène. Délaissant manteau et couvertures, la jeune mère se dirige vers sa chambre, emportant Laurence avec elle.

— Je vais dormir un peu.

— Avec bébé ?

Marie-Hélène hausse les épaules, se tournant vivement vers François.

— Bien sûr. Qu'est-ce que tu crois ?

Le regard de la jeune femme est à la fois terne parce qu'elle est fatiguée et rempli d'une farouche détermination. François hésite un moment avant d'insister. C'est que Marie-Hélène a l'air tout à fait décidée. Mais alors que sa femme détourne la tête et s'engage dans le couloir d'un pas ferme, il propose tout de même :

— Si tu veux vraiment te reposer, je pourrais m'occuper de mademoiselle ? Pour l'instant elle peut très bien dormir dans son petit lit et...

Le regard que lui lance Marie-Hélène est très éloquent. Sans autre forme de discussion, elle quitte le salon et se dirige vers la chambre. Le bruit de la porte qui se referme sur elle, aussi feutré soit-il, fait sursauter François. Soupirant sa déception, il ramasse machinalement les vêtements que Marie-Hélène a laissés tomber négligemment sur le plancher et les range dans le placard de l'entrée. Puis d'un même geste, il plie les couvertures de

Laurence, les porte à sa chambre avant de revenir au salon et de pousser l'interrupteur qui allume les lumières du sapin. Dans quelques jours, ce sera Noël. Un drôle de Noël, cette année, fait d'une joie immense à cause de la présence de leur fille mais aussi empreint d'inquiétude à cause des satanés résultats. Maladie maudite qui les empoisonne l'un après l'autre. Le médecin les avait pourtant prévenus, avait longuement expliqué le curieux processus qui fait que le bébé, à travers les anticorps de sa mère, semble porteur du virus, lui aussi. Souvent, à la naissance, les bébés nés d'une mère porteuse du VIH semblent infectés. Néanmoins il n'en est rien et le test suivant est négatif. François veut y croire : la petite Laurence paraît vraiment en parfaite santé avec ses joues rosées, rondes et douces comme des pêches. Mais le doute veille, sournois, alimente l'inquiétude qui ronge comme un cancer, occasionnant parfois des battements de cœur plus douloureux. Cela ne fait que quelques heures qu'ils ont appris les résultats, mais François a l'impression que le cauchemar dure depuis des siècles. Il est déjà épuisé de s'inquiéter. Malgré tout, un léger sourire effleure ses lèvres au moment où il se laisse tomber dans un fauteuil. Venue de nulle part, la voix de sa mère le rejoint à travers sa réflexion.

— Attends, mon grand, attends d'être parent à ton tour ! Tu vas voir ce que c'est que de s'en faire pour un enfant.

Elle n'aurait pu si bien dire… Et Dieu lui est témoin que lui, François, il en a alimenté des inquiétudes quand il était adolescent ! Aujourd'hui, à cause de la présence d'une minuscule petite fille, il mesure l'immensité de tout ce que ses parents ont pu vivre à cause de lui. Il aurait envie d'être près d'eux et leur dire qu'il regrette, qu'il les aime. Il a surtout très hâte de leur présenter sa petite Laurence…

François s'est assoupi. Les derniers jours ont été fertiles en émotions de toutes sortes et il est beaucoup plus fatigué qu'il ne le pensait. La sonnerie du téléphone, incroyablement stridente dans le silence feutré de l'appartement, le fait sursauter. Il se précipite à la cuisine en espérant que le bruit n'a pas réveillé Marie-Hélène.

— Allô mon grand!

C'est sa mère, Dominique, la voix aussi enjouée qu'une gamine en vacances.

— Alors?

François est heureux d'entendre le son de cette voix. En ce moment, Montréal lui semble fort éloigné de Québec. Se sentant tout léger et moqueur, il joue à ne rien comprendre. Et comme s'il ne saisissait pas ce que sa mère cherche à savoir, il répète:

— Alors?

Dominique éclate de rire.

— Comment va la plus jolie petite-fille du monde? C'est bien aujourd'hui qu'elle devait arriver à la maison, non?

— On ne peut rien te cacher. Laurence se porte à merveille. Tout comme sa maman et son papa.

Tout en parlant, en contradiction avec sa voix joyeuse, François ressent un curieux malaise. En apparence, tout va bien. Mais qu'en est-il vraiment? Puis il s'ébroue, s'oblige à se concentrer sur le moment présent. Sa vie, désormais, se doit d'être une succession de moments présents. Ne jamais l'oublier. Jamais. C'est à ce prix qu'il pourra être heureux malgré tout.

— Oui, tout va pour le mieux, maman, répète-t-il, essayant de mettre toute la conviction du monde dans sa réponse.

— Tant mieux. Comme ça, on peut compter sur votre présence pour le réveillon. C'est merveilleux: tout le monde va être présent. Tes grands-parents Lamontagne, mamie Cécile et Jérôme, ton frère, ta sœur.

Pas l'ombre d'une interrogation, d'une incertitude! C'est au tour de François d'éclater de rire devant l'assurance de sa mère.

— Ça serait bien, oui! Mais faudrait peut-être que j'en parle à Marie-Hélène avant de te donner une réponse définitive. Noël, c'est dans moins d'une semaine et Marie vient tout juste d'accoucher. Je ne sais pas trop si elle va être suffisamment en forme pour aller à Québec.

Bref silence au bout de la ligne. Puis, avec une légère déception dans la voix de Dominique:

— Je sais bien... Mais tu peux au moins le lui demander, non? Si tu savais à quel point on a hâte de serrer Laurence dans nos bras, ton père et moi.

— C'est sûr, ça. Imagine-toi donc que j'y avais pensé. Promis que j'en parle dès ce soir. Et promis aussi que je vais me faire le plus ardent défenseur d'une visite à Québec. Moi aussi, j'ai bien hâte que vous connaissiez bébé Laurence. Si tu voyais à quel point elle est jolie, maman. Et toute tranquille.

— Comme toi, François. Tu étais un bébé facile et toujours de bonne humeur.

Poussant de nouveau un petit rire, Dominique ajoute:

— C'est plus tard que ça s'est gâté... Mais tout ça, c'est du passé, maintenant. Alors je compte sur toi et j'attends ta réponse.

— Bien sûr. Je te rappelle demain au plus tard.

« Mais tout ça, c'est du passé, maintenant... » François raccroche pensivement, une douleur réelle lui traversant la poitrine. Comment, comment annoncer à ses parents que le passé lui court toujours après? Que le passé se fait cruellement présent? François ne le sait toujours pas, même s'il est très lucide et se répète régulièrement qu'il ne pourra jouer à l'autruche indéfiniment. Depuis maintenant près de neuf mois déjà, il se sait séropositif et personne, hormis Cécile, Jérôme et quelques amis très proches, n'est au courant. Le docteur Samuel leur avait conseillé d'agir avec prudence. La réaction des gens n'est pas toujours prévisible et souvent ce sont ceux qui nous sont proches qui acceptent difficilement. Après de longues discussions, Marie-Hélène et François avaient décidé d'écouter ses conseils. Pourtant, aujourd'hui, François n'est plus du tout certain que ce soit la bonne chose à faire. Alors, en plus de l'inquiétude qu'il ressent pour Laurence, il y a aussi cette incertitude qui se permet de troubler le cours du temps.

La noirceur est tombée. Au bout du couloir, seule la clarté colorée du sapin met un peu de vie dans l'appartement. Tout le monde semble dormir encore. Pourtant, Laurence devrait commencer à avoir faim. Silencieusement, sur le bout des pieds, François se dirige vers la chambre, faisant un peu de clarté sur son chemin. Puis il ouvre doucement la porte. Dans le rayon de lumière provenant du couloir, il devine la silhouette de Marie-Hélène, recroquevillée sur le côté, et celle du bébé, lovée contre le ventre de sa mère. Comme elle devait l'être à l'intérieur, il y a de cela quelques jours à peine. Ce doit être pour cette raison qu'elle ne s'est pas éveillée à seize heures pour son boire. Trop bien, blottie contre maman, mademoiselle Laurence en a oublié d'avoir faim. Ému, François entre dans la chambre, s'agenouille à côté du lit, les bras appuyés sur la courtepointe fleurie.

En ce moment, malgré l'implacable revers que le destin lui a réservé, il aurait envie de prier. Prier, non pour demander, mais pour remercier. Ne serait-ce que pour avoir eu ce privilège immense de toucher à l'essence divine de l'amour. Jamais, de toute sa vie, il n'aurait pu imaginer qu'on peut aimer à ce point et que ce soit si doux et dur à la fois. Comme un grand vertige qui se suffit à lui-même. Du bout du doigt, il caresse le petit poing fermé, réprimant l'envie subite qu'il a de pleurer. Larmes de peur et de joie entremêlées, larmes d'espoir, surtout. C'est à cet instant que Laurence décide que la sieste a suffisamment duré. S'étirant longuement, exactement comme un chaton qui s'éveille, elle fronce les sourcils, plisse le front, fait de drôles de petites grimaces et se met aussitôt à hurler, sans la moindre transition. Devant une telle colère, François est aussitôt ramené à des considérations très pratiques. Pour les émotions, on repassera. Mademoiselle Laurence a décidé qu'elle avait faim et rien d'autre ne peut avoir d'importance.

Glissant doucement les mains sous le corps de sa fille, François la soulève au moment où Marie-Hélène ouvre un œil. Pour aussitôt refermer les bras sur le bébé.

— Laisse, je m'en occupe.

Le ton est sans équivoque. Repoussant les mains de François, Marie-Hélène est déjà debout, Laurence dans ses bras.

— Mais voyons, Marie! Reste allongée. Je peux très bien changer sa couche et lui donner son boire.

Peine perdue. Marie-Hélène lui jette un regard sceptique comme si elle avait de sérieux doutes sur ses capacités parentales.

Puis c'est un éclat de douleur qui traverse son regard.

— Non. Merci quand même, mais je vais m'en occuper. Déjà que je n'ai pas le droit de l'allaiter, tu ne viendras pas me l'enlever en plus !

« Tu ne viendras pas me l'enlever... » Mots durs, malhabiles mais qui disent une si grande tristesse. Mots durs, inutiles qui écorchent François.

Pourtant, Marie-Hélène passe devant lui comme si de rien n'était et se dirige vers la chambre de Laurence pour la changer. Ravalant sa déception, son incompréhension, François lisse les couvertures du lit en un geste machinal avant de regagner le salon et de s'affaler dans un fauteuil, le cœur en charpie. Depuis l'accouchement, il ne reconnaît plus sa femme. Un peu comme si la Marie-Hélène qu'il avait toujours connue avait disparu dans les douleurs de l'enfantement, faisant place à une autre Marie-Hélène, distante, détachée et même froide à son égard. Déjà, lorsqu'il la rejoignait à l'hôpital, il avait l'impression de vivre sur une autre planète qu'elle. Depuis deux heures qu'ils sont à la maison, ses soupçons se confirment. Et dire qu'il a promis à sa mère de la convaincre d'aller à Québec pour fêter Noël ! Il a l'intuition que la partie n'est pas gagnée d'avance. Et Laurence qui continue de crier avec véhémence. Empli de bonne volonté, oubliant les quelques mots que Marie-Hélène lui a lancés à la figure, François se relève pour la rejoindre, question de voir si elle n'a pas besoin d'aide. C'est que Laurence crie vraiment à fendre l'air.

— Comment une si petite chose peut-elle produire autant de bruit ?

Il se veut drôle, cherche à détendre l'atmosphère, même s'il ne saisit pas vraiment pourquoi l'air lui semble surchauffé en permanence.

— Comment peux-tu parler ainsi ? C'est normal qu'un bébé pleure. Au cas où tu ne l'aurais pas encore compris, ça pleure un bébé quand ça a faim. C'est le seul moyen de communication dont notre fille dispose.

La voix de Marie-Hélène est lourde de reproche sous-entendu.

— Mais je le sais, reprend aussitôt François. Ce n'est pas ce que je voulais dire. Mais avoue avec moi que c'est plutôt surprenant d'entendre un si petit bébé pousser des cris aussi stridents.

Marie-Hélène hausse les épaules avec impatience.

— Je ne trouve pas, moi… Va falloir que tu t'y fasses : elle en a pour probablement un an, sinon plus, avant de pouvoir nous parler autrement… Plutôt que de dire des âneries, va donc faire chauffer trois onces de lait. Tu as bien acheté le lait au moins ? Celui qui est recommandé…

Ce n'est que beaucoup plus tard en soirée, alors qu'ils sont tous les trois au salon, Marie-Hélène berçant le bébé auprès du feu, le sapin brillant joyeusement dans la pénombre de la pièce, que celle-ci s'excuse enfin.

— Pardon pour tout à l'heure. Je crois que je n'ai pas été très gentille envers toi.

— Ne t'en fais pas pour si peu. Je crois savoir que tu as été plutôt sollicitée depuis quelques jours. Normal que tu sois fatiguée, non ?

— Probable. Sûrement même… La nature est drôlement faite, parfois. Il y a deux semaines, je souffrais d'insomnie chaque nuit et j'aurais pu m'occuper d'une pouponnière au grand complet à moi toute seule. J'accouche, et Dieu sait que ça n'a pas été un accouchement très difficile, et voilà que je dormirais vingt heures sur vingt-quatre. C'est vraiment mal pensé, soupire-t-elle en se penchant vers Laurence, un sourire tendre aux lèvres, contredisant avec éloquence les propos qu'elle vient d'avoir. Mais c'est pas grave : elle est tellement jolie ! Et tranquille…

Puis fronçant les sourcils :

— Tu crois que c'est normal un bébé aussi sage ? Elle dort pratiquement toute la journée.

François ne peut s'empêcher de rire d'elle gentiment.

— Alors tu aimerais mieux avoir un bébé qui pleure tout le temps ? Ça serait, comment dire, ça serait peut-être plus naturel selon toi ?

— Non, évidemment… Mais quand même…

Un bref silence envahit le salon pendant quelques instants.

Puis Marie-Hélène secoue la tête comme si elle voulait chasser une pensée désagréable.

— Vaut mieux ne s'arrêter qu'à des choses agréables, murmure-t-elle alors pour elle-même.

Puis, levant les yeux vers François :

— Et que faisons-nous pour Noël ? lance-t-elle joyeusement. J'avais pensé à un réveillon tout simple entre deux boires. Une bonne bouteille de mousseux, quelques petites choses agréables à grignoter. Qu'est-ce que tu en penses ?

— Justement...

Délaissant son fauteuil, François s'approche de la berceuse et, s'accroupissant sur le sol, il pose doucement la main sur Laurence avant de lever les yeux vers Marie-Hélène.

— Maman a appelé, cet après-midi. Elle donne le réveillon cette année. Et elle nous...

— Pas question.

— Laisse-moi finir, Marie... Tu ne crois pas que ce serait là l'occasion rêvée de présenter Laurence à tous ceux qu'on aime ? On fait d'une pierre deux coups : maman va être aux anges, mamie Cécile et Jérôme aussi et pas besoin de faire la grande tournée pour rencontrer tout le monde. Le lendemain, on fait un saut chez tes parents avant de revenir ici et le tour est joué !

Marie-Hélène esquisse une moue hésitante.

— Tu as peut-être raison sur un point : c'est vrai que ça faciliterait les choses. Mais je trouve que Laurence est bien petite pour rencontrer autant de gens. Peut-être plus tard, quand on...

Marie-Hélène se tait brusquement. « Quand on aura les résultats définitifs », complète intérieurement François. Pas besoin de lui faire un dessin pour savoir ce que pense Marie-Hélène. Posant la main sur le genou de sa femme, il le serre tendrement.

— Allons, Marie ! Si on habitait Québec, c'est certain que tous ces gens-là viendraient nous voir à la maison et on leur ouvrirait notre porte, n'est-ce pas ? Où est la différence ?

— Ce serait différent. Laurence resterait dans ses affaires. Je ne sais pas... Ça ne me tente pas, c'est tout.

Comment expliquer ce qu'elle ressent ? Elle-même n'arrive

pas à s'y retrouver. Ce n'est que pure intuition. Une sensation tout à fait physique qui fait qu'elle n'a pas envie de partir pour Québec. Pourtant, elle aime bien ses beaux-parents et les visites à Québec sont toujours un réel plaisir pour elle. Sachant cela, François insiste :

— Ça ne te tente pas ? Est-ce une raison ? Si tu me disais que tu es trop fatiguée, je comprendrais. Mais là...

— Le problème, ce n'est pas moi. Et tu le sais. Je suis en pleine forme. Le problème, c'est Laurence.

— Es-tu sérieuse quand tu dis ça ? Regarde-la : elle dort comme un ange. Penses-tu vraiment qu'un voyage de vingt-quatre heures à Québec la dérangerait ? Probablement qu'elle va dormir tout le temps comme elle le fait ici.

— C'est vrai qu'elle n'est pas tellement difficile à vivre... Mais ça m'inquiète quand même.

— S'il te plaît, Marie ! Pense aux grands-parents...

De nouveau Marie-Hélène fait la grimace. Puis, en soupirant, elle concède :

— C'est vrai qu'elle est facile... D'accord. Mais juste une journée. Et c'est bien pour te faire plaisir. Parce que moi...

— Merci, Marie. Je suis certain que ça va nous faire du bien de voir des gens.

C'est ainsi que le vingt-quatre décembre, tout de suite après le boire de dix heures, pour faire la route avant le boire de treize heures, François prépare l'auto pour le grand départ. Une pile impressionnante de sacs et de valises s'entassent dans l'entrée.

— T'es sûre qu'on a besoin de tout ça ? se lamente-t-il en finissant de monter le long escalier pour une troisième fois et constatant qu'il reste encore deux sacs et un paquet de couches à transporter.

Le regard foudroyant de Marie-Hélène le fait taire aussitôt.

— C'est ça, voyager avec un bébé. Faut assumer ses choix dans la vie, mon grand !

Et au ton employé par Marie-Hélène, François ne saurait dire si elle est sérieuse ou si elle se moque. Ravalant la réponse qui lui vient à l'esprit, il empoigne les derniers bagages et les porte à l'auto sans rouspéter, car il sait que Marie-Hélène est capable de se montrer inflexible s'il le faut. Depuis qu'elle a cédé et accepté de faire le voyage à son corps défendant, Marie-Hélène n'a plus quitté Laurence, la trimbalant partout avec elle. « Ça doit être normal, pense alors François en redescendant l'escalier. Mais quand même, elle exagère ! »

La route se fait sans encombre, bébé Laurence ne dérogeant pas à ses habitudes et dormant tout au long du chemin.

Dominique les attendait à la fenêtre.

— Enfin !

Marie-Hélène n'est pas aussitôt entrée que Laurence se retrouve dans les bras de sa grand-mère. Et voilà ! Ce que la jeune mère craignait vient d'arriver. Elle n'aime pas voir son bébé dans les bras d'une autre. Même si cette autre est la grand-maman ! Les lèvres serrées sur les mots désobligeants qui lui viennent spontanément à l'esprit, Marie-Hélène tourne les yeux vers François. Ce dernier hausse imperceptiblement les épaules. Que pourrait-il faire qui ne soit susceptible de heurter sa mère ? Après tout, elle est la grand-mère et a déjà tenu un bébé dans ses bras. Elle en a même élevé trois, ce qui lui confère une certaine autorité en la matière. François ne comprend pas pourquoi Marie-Hélène en fait tout un plat. Car il est bien évident que Marie-Hélène n'est pas du tout d'accord avec la tournure des événements. Attrapant quelques bagages avec impatience, elle passe devant lui en le bousculant pour se diriger vers son ancienne chambre. Le temps d'installer le parc qui servira de lit à Laurence, de retirer quelques vêtements propres pour la changer avant son boire et Marie-Hélène revient au salon. Confortablement calée au creux des bras de Dominique, Laurence boit avidement le lait que sa grand-mère lui présente.

— Tu permets, n'est-ce pas Marie-Hélène ? demande alors gentiment Dominique. Ça fait tellement longtemps que je n'ai pas eu cette chance et François m'a dit que c'était l'heure de son boire.

Que répondre ? C'est vrai que Laurence n'est pas à plaindre dans les bras de sa grand-mère. Pourtant, Marie-Hélène n'aime pas cela. Elle a l'impression d'être la victime d'un complot. Depuis quand François décide-t-il du moment de faire boire sa fille ? Malgré tout, elle ne peut rien faire ou dire. De toute façon, elle aime bien Dominique et ce n'est pas dans sa nature de blesser les gens. Avec un petit sourire sans joie, elle approuve enfin.

— D'accord. Mais je veux lui faire passer son rot. Elle est plutôt capricieuse à ce sujet.

— Comme tu veux. C'est toi la maman.

Est-ce l'intuition ? Le souvenir de ses propres maternités ? Dominique vient de dire exactement ce qu'il fallait pour rassurer Marie-Hélène. Dessinant un premier vrai sourire depuis qu'elle est arrivée, Marie-Hélène s'assoit face à Dominique en soupirant d'aise, gardant tout de même un œil critique sur sa fille. Voyant qu'elle boit toujours aussi calmement, les deux poings pressés contre son petit visage, elle pousse encore une fois un long soupir de bien-être. Elle a toujours aimé l'atmosphère qui règne dans la maison de ses beaux-parents. « Chez vous, c'est une maison pour être heureux, a-t-elle souvent répété à François. Je ne sais pas comment ta mère fait, mais on dirait qu'il y a dans l'air un petit quelque chose d'accueillant, d'invitant. J'aime bien être chez tes parents. » Et elle a toujours été sincère en disant cela. Dans le fond, François avait peut-être bien raison et ce petit voyage va faire du bien à tout le monde. À elle la première. Dans l'âtre, une joyeuse flambée réchauffe la pièce et, malgré le fait qu'elle reçoive plus de dix personnes pour le réveillon, Dominique semble calme et détendue. C'est peut-être pour cela que la maison des Léveillé est si agréable : on n'y est jamais bousculé…

— Et voilà, c'est fait, lance la grand-maman en retirant le biberon de la bouche du bébé, interrompant ainsi la réflexion de Marie-Hélène. Cette jeune fille a tout bu. Et si je ne m'abuse, elle en prendrait bien un peu plus ! Elle est gourmande !

— Vous croyez ?

— Dans mon temps, c'est ce que les médecins nous disaient. Quand un bébé boit tout son lait, on doit en ajouter un peu. Il faut toujours qu'il en reste dans le fond de la bouteille pour être bien certain qu'elle n'a plus faim. Tiens, reprends ta fille pour le rot.

Déposant Laurence dans les bras de sa mère, Dominique ajoute :

— Merci de me l'avoir laissée pour son boire. Tu viens de me faire une belle joie.

Puis, sans transition, elle lance joyeusement :

— Et maintenant, aux fourneaux ! Je passerais bien l'après-midi à la bercer, cette jolie fille, mais ce n'est pas ça qui va préparer mon réveillon.

— Je peux vous aider ?

— Hors de question ! Vous êtes ici pour vous faire gâter, jeune maman. Si tu veux me tenir compagnie, ça va. Mais rien de plus. Ou tu peux faire une sieste, si tu préfères...

L'après-midi se passe dans les rires, Marie-Hélène confortablement installée dans un coin de la cuisine, Laurence endormie dans ses bras. François avait raison : il fait bon de se changer les idées. Du sous-sol, Marie-Hélène l'entend rire avec son père et cela aussi lui fait chaud au cœur. Et au moment où elle s'allonge pour un bref repos auprès de sa fille, avant l'arrivée des invités, l'amoncellement de nuages noirs qui semblaient planer sur sa vie s'est allégé. Ses craintes et ses tourments lui semblent moins criants de certitude. Et si le test était négatif dans quelques mois ? Après tout, la chose est tout à fait possible. Aussi possible que l'inverse, le médecin le lui avait clairement affirmé.

— Ne vous inquiétez pas, petite maman. Je sais que c'est difficile à imaginer et si le test s'avère positif à la naissance, vous ne verrez que cela. Mais il faut garder espoir. Aujourd'hui, avec le traitement intensif que vous suivez présentement, il y a de fortes chances que, vers l'âge de trois mois, tout rentre dans l'ordre. Les résultats obtenus à la naissance n'auront été que de faux résultats. En aucun cas, il ne faut s'y fier...

Marie-Hélène en était à la toute fin de sa grossesse. Le pédiatre qu'elle rencontrait pour une première fois à la demande de son médecin lui était sympathique. Elle se rappelle que pendant ce bref entretien, elle avait caressé son ventre d'une main machinale, comme elle le faisait si souvent tout au long de sa grossesse, se disant que le destin ne pouvait continuer de s'acharner contre elle indéfiniment. Elle était alors persuadée que le test serait négatif. Pourtant...

Avec un peu de nostalgie, sa main s'égare un moment sur son ventre plat. Déjà fini ce temps de la complicité... Puis, du bout du doigt, Marie-Hélène caresse la joue rebondie de sa fille. Présentement, c'est la voix enjouée de Dominique qui s'extasie devant la petite à l'heure du boire en fin d'après-midi qui lui revient.

— Vous nous avez fait une belle fille, Marie-Hélène et François! Un bébé qui boit avec un aussi bel appétit, c'est un bébé heureux et en santé!

Et pour une première fois depuis la naissance de Laurence, c'est avec sérénité que Marie-Hélène s'endort et non avec l'habituelle inquiétude d'apprendre finalement que sa petite Laurence sera condamnée pour le reste de sa vie.

La vue de toute la famille réunie au salon pour la fête remet cette belle philosophie en question. Indécise, Marie-Hélène reste un instant immobile sur le seuil de la porte. Toutes ces voix qui s'apostrophent joyeusement l'étourdissent et lui font resserrer l'étreinte sur Laurence. C'est la première fois depuis des années que toute la famille est réunie. Cécile et Jérôme viennent d'arriver et s'entretiennent avec Thérèse et René Lamontagne, les parents adoptifs de Dominique. De la cuisine, on entend la voix de Dominique qui parle avec Mélina. La vieille dame a tenu à faire le voyage malgré les réticences de Jérôme.

— Écoute ben c'que j'm'en vas te dire, mon Jérôme, avait-elle plaidé. Pis retiens-le ben parce que c'est pas des mots faciles à dire pis que je recommencerai pas. Je l'sais que chus rien qu'une vieille dame. T'as pas besoin de me le rappeler, mes jambes le font à tous les matins. Pis j'sais aussi que c'est rien qu'un paquet de troubles pour vous autres de trimbaler une vieille comme moi. Chus quand même pas gâteuse au point de rien voir aller. Mais à chaque anniversaire qui passe, à chaque Noël, à chaque Pâques, j'me dis qu'à un moment donné, ça va être le dernier.

Lève pas la main pour m'interrompre, mon garçon, tu l'sais que j'ai raison. Ça fait que viens pas me dire que je serais mieux de rester icitte. J'ai pas envie de me faire garder, Jérôme. Pas envie pantoute. Surtout que c'te année, il y a le bébé de François pis Marie-Hélène. J'ai ben envie de la connaître, cette p'tite-là. Pis on part pas pour deux semaines, sapristi, avait-elle conclu plus bourrue que jamais. On part pour quelques heures au plus...

Jérôme avait ravalé toutes ses belles excuses, contrit. Sa mère avait raison et il avait tendance à s'en faire pour rien. C'est pourquoi Marie-Hélène entend aussi la voix forte de Mélina qui domine le brouhaha général.

Brusquement, elle n'a plus envie d'être là, plus envie de voir son bébé passer d'un bras à un autre, car elle se doute bien que c'est ce qui risque d'arriver...

Tout heureux de la voir enfin apparaître, fier comme un paon, François vient à elle pour prendre Laurence dans ses bras afin de la présenter à mamie Cécile et à sa grand-mère Thérèse, la mère adoptive de Dominique.

— Je peux prendre Laurence un moment ? demande-t-il gentiment, sans vraiment attendre de réponse tant il lui semble naturel de présenter sa fille à cette famille qui est la sienne et qu'il aime beaucoup. J'aimerais la présenter à mes grands-mères.

Et voilà ! Même si elle s'y attendait, même si c'est dans la normalité des choses que François ait cette réaction, Marie-Hélène a un léger mouvement de recul. Il y a trop de bruit, trop de gens. Elle n'est pas à l'aise. Laurence n'est pas un bébé comme les autres. Il y a peut-être des risques à côtoyer tous ces gens. Pourquoi François ne veut-il pas l'admettre ? Marie-Hélène aimerait tellement sentir un peu de complicité de sa part. Faire front commun dans l'inquiétude et l'espoir. Impulsivement, ses bras se referment sur Laurence et du regard elle tente d'attirer l'attention de François. Peine perdue. D'un geste très doux, il soulève déjà la petite et la tient tout contre lui avant de se retourner pour regagner le fond de la pièce. Marie-Hélène a l'impression qu'on vient de lui arracher son bébé. C'est démesuré, presque fou, mais c'est là, en elle : Marie-Hélène se sent dépossédée. Les bras ballants, elle reste sans bouger. Laurence va de l'un à l'autre et chaque baiser qui effleure sa joue est comme une épine dans l'esprit de Marie-Hélène. Et quand le petit Raphaël, le neveu de François, réclame à son père de prendre sa petite cousine dans ses bras, Marie-Hélène retient son souffle. François ne va tout de même pas confier leur fille à un enfant de quatre ans! Laurence a tout juste neuf jours. Mais il semble bien que Marie-Hélène soit la seule à considérer la chose comme impensable. Dominique s'est approchée et installe Raphaël dans un coin du divan, un gros coussin sous le bras.

— Ça me fait penser à vous deux, les garçons, quand je suis revenue de l'hôpital avec Geneviève. Vous n'arrêtiez pas de vouloir prendre votre petite sœur dans vos bras, se rappelle-t-elle, visiblement émue.

Puis elle lance, toute joyeuse:

— André, une photo! C'est la première fois que nos deux petits-enfants sont ensemble.

C'est à cet instant que Raphaël, incapable de frotter son nez qui pique car il a peur d'échapper le bébé, éternue bruyamment deux fois.

— Ça suffit!

La voix de Marie-Hélène, étrangement forte et froide, résonne désagréablement dans le salon, interrompant rires et gestes. D'un élan, elle est déjà à côté de sa fille qu'elle reprend un peu brusquement dans un geste possessif. Le petit Raphaël a les yeux pleins d'eau, Dominique tend la main pour s'interposer, mais déjà Marie-Hélène s'est relevée, Laurence appuyée contre sa poitrine. Dans ses oreilles, le bruit des éternuements de Raphaël résonne toujours. S'il fallait que Laurence attrape la grippe...

— Tu fais ce que tu veux, François, annonce-t-elle d'une voix sourde, en se retournant, mais moi je rentre à la maison. J'en ai assez de voir Laurence se faire trimbaler comme une poupée.

Et sans plus elle quitte la pièce.

— Mais voyons! C'est insensé, murmure Dominique, désemparée, alors que François se précipite hors du salon.

— Non, Dominique, ce n'est pas insensé. Démesuré, peut-être, mais pas insensé, réplique doucement Cécile. Marie-Hélène vient tout juste d'accoucher.

L'explication est valable et d'un coup, elle détend l'atmosphère. Il est vrai que certaines jeunes mères sont très possessives. Les conversations reprennent. Mais au moment où Dominique s'apprête à donner raison à Cécile avant de retourner à la cuisine, elle surprend le regard que cette dernière échange avec Jérôme. Un regard chargé de douleur et d'inquiétude, Dominique serait prête à le jurer.

Aussitôt une terrible intuition se greffe à l'incompréhension de Dominique : on lui cache quelque chose. Quelque chose de grave. Et quand elle voit Cécile quitter précipitamment le salon à son tour, cette intuition devient certitude. Quelque chose d'anormal se passe. Quelque chose qu'on cherche délibérément à lui cacher. Elle ne comprend pas pourquoi mais c'est un fait : on la tient à l'écart. Et cela lui fait mal, très mal. Mais Dominique n'est pas femme à s'imposer. De plus, ce soir, c'est Noël et elle est l'hôtesse de la fête. Alors, le cœur pourtant à des lieux de cette fête, elle lance le plus joyeusement possible :

— Qui a faim ? Le buffet va être servi dans quelques instants !

Puis elle se précipite vers la cuisine, espérant que personne n'a remarqué que ses yeux brillent de larmes contenues…

CHAPITRE 2

« Faut faire confiance à la vie, Sébastien ! »

CONSEIL DONNÉ PAR VIRGINIE À L'AUTOMNE 1995

— Mais veux-tu bien me dire ce qui m'a pris d'accepter ?

Perplexe, en colère contre lui-même, Sébastien raccroche bruyamment le combiné du téléphone. Puis il se lève vivement, fait quelques pas, regarde par la fenêtre, soupire, revient s'asseoir en malmenant les coussins au passage. Son visage fermé, avec une ride profonde entre les sourcils, est celui des mauvais jours.

— Mais qu'est-ce qui m'a pris d'accepter, répète-t-il en levant la tête vers Virginie, comme s'il espère qu'elle pourra répondre à son interrogation.

Le sourire moqueur de cette dernière avive sa colère.

— Et en plus, tu ris de moi ?

— Qui ça ? Moi ? Je ne ris pas.

— Non, mais tu souris. C'est pareil.

Le sourire de Virginie s'accentue. Depuis le temps qu'elle a appris à connaître Sébastien, Virginie sait fort bien que ce genre de grogne ne dure jamais longtemps. Quelques instants de bouderie, le regard mauvais, un coussin pressé contre sa poitrine, le souffle court. Puis, sans transition, envoyant valser le coussin à travers la pièce, Sébastien éclate de rire.

— Ouf ! Ça m'a fait du bien cette petite colère. Mais ça n'explique pas pourquoi j'ai accepté de réveillonner chez mon père. Je m'étais promis d'appeler Gilbert.

— Connaissant Gilbert comme on le connaît, réplique Virginie pour rassurer Sébastien, s'il avait eu l'intention de passer la nuit de Noël avec nous, ça fait longtemps que l'invitation serait lancée. Tu sais comment il est !

— Justement, je le connais ! Il est assez discret pour ne rien imposer aux tourtereaux, comme il le dit.

— Ouais, peut-être bien que tu as effectivement raison... N'empêche que je trouve que c'est une bonne idée.

— Quoi ? Aller chez mon père ? Pas sûr, moi, que c'était la meilleure décision à prendre.

Pendant un court moment, le mot décision reste suspendu dans l'air avant que Virginie ne décide de le reprendre.

— Est-ce vraiment une décision, Sébas ?

Indécis, Sébastien examine Virginie du coin de l'œil comme s'il cherchait à comprendre le sens de ses propos. Puis il hausse les épaules.

— Qu'est-ce que c'est si ce n'est pas une décision ? Une décision irréfléchie, à part ça ! Que veux-tu que ce soit d'autre ?

— Peut-être bien la réponse à un besoin. Peux-tu affirmer, honnêtement, que tu n'espérais pas cette invitation ?

Sébastien reste silencieux, le regard vague. Virginie a raison. Si son père n'avait pas appelé, il aurait été déçu. Oui, tout au fond de lui, sans l'avouer à personne, bien entendu, il espérait cette invitation. « Pour avoir le plaisir de la refuser » ajoute-t-il intérieurement, en se calant sur le divan. Pour aussitôt se redresser en se reprenant, tout à fait conscient de sa mauvaise foi. Ce n'est pas vrai. Il se ment à lui-même et le sait fort bien. Quand donc acceptera-t-il de dire qu'il est finalement heureux d'avoir retrouvé une partie de sa famille ? Même si ce n'est pas exactement la partie qu'il souhaitait revoir en premier lieu. Mais compte tenu des circonstances, retrouver son père, c'est aussi tenter de retrouver Maxime, son frère. Alors...

Il se décide enfin à lever les yeux vers Virginie.

— Je crois que tu as raison, admet-il en soupirant. Mais si tu savais à quel point tout ça me semble compliqué. Je veux, je ne veux pas. Quand mon père a appelé, mon cœur battait à tout rompre. Mais je ne sais pas trop pourquoi. J'étais heureux et en colère en même temps.

— C'est peut-être normal. Depuis le temps... Et d'après ce que tu m'as raconté, ta vie avec lui n'a pas été facile. C'est peut-être normal d'être ambivalent. Mais pourquoi toujours être sur la défensive ? Faut quand même donner une chance aux autres, non ?

Puis, après une légère hésitation, elle ajoute :

— C'est un peu ce que j'ai fait avec toi. Rappelle-toi ! La nuit où on s'est rencontré, j'aurais eu toutes les raisons du monde de refuser la main que tu me tendais. Mais finalement, avec le recul, aujourd'hui je sais que ça aurait été une belle erreur.

Il est rare que Virginie fasse allusion à cette nuit maudite où elle avait rencontré Sébastien. Elle venait d'être abusée par trois jeunes vauriens et Sébastien l'avait trouvée à demi nue derrière un bosquet d'arbres sur le mont Royal. Aussitôt, il lui avait proposé de l'aider. Et contre toute attente, Virginie avait accepté. Elle n'en parle presque jamais, ayant choisi de tout reprendre à zéro dans sa vie. En fait, elle n'y revient qu'aux moments de grandes indécisions qui accablent parfois Sébastien. S'approchant de lui, la jeune fille s'accroupit sur le plancher et pose doucement les mains sur ses genoux.

— Je sais que tout cela est difficile pour toi, Sébas. Mais dis-toi que tu ne seras pas seul à avoir le trac. J'ai une peur folle de rencontrer ton père. Après tout ce que tu m'en as dit…

À son tour, elle reste silencieuse un instant, puis secouant ses longs cheveux, elle se relève d'un bond, obligeant Sébastien à la suivre. Alors, le regardant droit dans les yeux, elle ajoute :

— Ce ne sera peut-être qu'un mauvais moment à passer avant de découvrir plein de belles choses. Que dirais-tu d'inviter Gilbert pour le souper de Noël ? Comme ça personne ne sera laissé-pour-compte.

À ces mots, Sébastien ne peut s'empêcher de sourire. Comment Virginie s'y prend pour arriver à le comprendre aussi bien reste encore un mystère pour lui. Pourtant, chaque fois où il est empêtré avec lui-même, s'il se décide à lui parler, elle réussit, la plupart du temps, à débroussailler ce qui lui semblait dense et incompréhensible. Mystère !

— Une fois encore, tu as tout compris, fait-il enfin, reconnaissant. Comment fais-tu ?

— C'est probablement beaucoup plus facile de cerner une situation quand on l'observe de l'extérieur, déclare-t-elle un brin sentencieuse, se moquant gentiment de lui. Quand on est plongé dans l'eau jusqu'au cou, difficile de voir la berge, non? Et puis, j'aime ça jouer à la mère supérieure qui sait tout. Ça flatte mon *ego*! Allez, viens! On s'habille et on profite du beau temps pour aller chez Gilbert. Ça serait plus gentil que de l'inviter par téléphone, non?

— Excellente idée! J'ai passé toute la journée devant ma table à dessin et j'ai l'impression d'avoir la tête grosse comme un melon… Ça va me faire du bien de prendre l'air. Te rends-tu compte? Je commence mes cours de dessin dans trois semaines. J'ai hâte, j'ai hâte!

* * *

La nuit de Noël est saupoudrée d'une pluie de flocons tout légers. « Exactement comme l'an dernier » pense Sébastien le nez à la fenêtre.

Que de chemin parcouru en une si petite année!

À cette heure-ci, l'année dernière, Sébastien était encore au Refuge des jeunes, morose. C'est là que Gilbert avait réussi à le rejoindre pour l'inviter à fêter avec eux. C'est aussi ce soir-là qu'il avait laissé entendre à Claudie qu'elle lui plaisait bien. Songeur, il porte les yeux sur le tout petit bout d'horizon que lui offre le coin de la rue. Que devient-elle, Claudie? Depuis l'été, en fait depuis le soir où Sébastien lui a avoué que ce qu'il ressentait pour elle n'était rien d'autre que de l'amitié, Claudie n'a pas donné signe de vie. Elle est repartie pour la Gaspésie dès le lendemain rejoindre sa famille et, depuis, personne ne l'a revue. Virginie lui a tout de même envoyé une carte de souhaits, espérant renouer avec elle. Malheureusement sa missive est restée sans réponse. « Dommage » pense Sébastien en se retournant, conscient que c'est un peu grâce à la présence de Claudie dans sa vie qu'il a finalement décidé de se prendre en mains.

— Maintenant, comment je m'habille, murmure-t-il pour lui-même, sautant du coq à l'âne, perplexe devant une garde-robe plutôt restreinte.

Après une bordée de jurons bien gras, un ou deux changements complets, Sébastien réussit à trouver quelques vêtements susceptibles de ne pas heurter le sens de l'esthétique de son père, à défaut de lui plaire.

— Ça se peux-tu, lance-t-il un brin agressif en regagnant le salon où Virginie, prête depuis longtemps, est assise à l'attendre. Me voilà rendu à essayer de ne pas lui déplaire. Non mais...

Puis Sébastien et Virginie quittent la maison main dans la main.

L'air est doux comme une brise de printemps et invite à la détente. Pourtant, à la pression qu'elle sent à travers sa mitaine, Virginie sait que Sébastien est tendu comme une corde de violon. Et elle est consciente qu'elle n'en mène guère plus large. Ce qu'elle a appris de Me Duhamel à travers les rares confidences de son ami n'est pas particulièrement invitant. Qui est-il vraiment, cet homme qui a blessé l'enfant que Sébastien était par ses propos et ses gestes ? Comment quelqu'un peut-il heurter délibérément la sensibilité d'un enfant ? Elle imagine un être froid, indifférent, hautain, et l'envie qu'elle a de le rencontrer est plutôt mitigée.

Malgré cela, la vue de la grande maison blanche et noire garnie d'une dentelle de lumières scintillantes et ornée de guirlandes de sapin aux fenêtres arrive à la détendre. Le décor est splendide avec cette belle neige qui tombe. Virginie est agréablement surprise. De froide et imposante qu'elle était, l'été dernier, la maison d'enfance de Sébastien lui semble chaleureuse, accueillante.

— Allez, viens, lance-t-elle en tirant sur la manche du manteau de son ami, car Sébastien s'est brusquement arrêté sur le trottoir et semble bien déterminé à prolonger la soirée les deux pieds dans la neige fondante. Comme le dirait Gilbert, on restera pas là à faire racines comme des cactus en pot!

La mention du nom du jovial Gilbert amène un sourire sur les lèvres de Sébastien.

— D'accord.

Puis, après une profonde inspiration :

— Allons-y !

En cet instant, Sébastien ne saurait dire ce qui le dérange le plus. Passer toute une soirée en compagnie de son père ou remettre les pieds dans cette maison qui abrite tant de souvenirs désagréables. Peut-être un peu les deux…

Quand il entend le son grave du gong de l'entrée résonner à travers la maison derrière la lourde porte de bois verni, ornée de la traditionnelle couronne de gui que son père fait venir à grands frais d'Angleterre chaque année, il ne peut s'empêcher de frissonner, se demandant pour la centième fois peut-être ce qu'il fait là.

Le salon au plafond très haut, décoré de l'immense sapin placé devant les fenêtres, est exactement à l'image du souvenir qu'il en gardait. Étrangement ému, il reconnaît les anges de porcelaine que sa mère accrochait religieusement chaque année, interdisant aux enfants d'y toucher. À la pensée de cette femme toute blonde et menue qu'était sa mère, une femme qui semblait terrorisée en permanence, Sébastien pousse un profond soupir. À cet instant, une jolie femme blonde, un peu comme l'était sa mère, s'approche de lui en souriant, interrompant sa réflexion.

— Sébastien ! Moi, c'est Muriel, fait-elle en lui tendant la main. Je suis heureuse de te connaître. Et lui, c'est Alexandre, ton demi-frère.

Se penchant, elle prend dans ses bras le jeune bambin qui restait caché derrière elle.

— C'est un timide, lance-t-elle joyeusement.

Puis, redevenue sérieuse, elle regarde le petit garçon droit dans les yeux et lui explique :

— Tu vois, lui aussi c'est ton grand frère. Comme Maxime. Tu te souviens de Maxime, n'est-ce pas ?

— Bien sûr. Il était gentil. Il faisait souvent des blagues. Et il a le même papa que moi.

— Exactement. Et lui, c'est le frère de Maxime. Il s'appelle Sébastien. Et lui aussi, il a le même papa que toi et Maxime.

Pendant un moment, le petit garçon reste silencieux,

songeur. Puis levant les yeux vers sa mère:

— Ça fait beaucoup de garçons pour un seul papa, tu trouves pas?

Puis se retournant vers Sébastien, il ajoute:

— Tu t'appelles Sébas. Comme mon ami à la garderie.

En entendant le gamin prononcer le surnom qui lui colle à la peau depuis toujours, Sébastien ne peut réprimer le sourire qui lui monte aux lèvres.

— Sébas, oui, comme tu dis. Tous mes amis m'appellent Sébas.

— Alors je veux être ton ami, moi aussi, et t'appeler Sébas. Parce que Sébastien, c'est trop difficile à dire.

Puis les choses étant maintenant claires pour lui, Alexandre se met à gigoter comme un beau diable pour échapper à l'étreinte maternelle, reluquant du coin de l'œil le gros sac que Sébastien tient à la main.

— C'est quoi ça?

— Qu'est-ce qu'on fête, ce soir? demande alors Sébastien en guise de réponse.

— Ben, c'est Noël.

— Et à Noël, qu'est-ce qu'il y a de particulier?

— Euh... Les cadeaux?

— En plein dans le mille. Tu as donc deviné ce qu'il y a dans mon sac. Tu m'aides à les placer sous le sapin avec les autres?

Subjugué par Alexandre qui ressemble étrangement à Maxime quand il avait son âge, Sébastien en a oublié Virginie qui, intimidée, se tient en retrait au seuil de la pièce. Jamais de toute sa vie elle n'a vu autant d'opulence, à commencer par le jeune homme en livrée qui leur a ouvert la porte. Pourtant, Sébastien, lui, a l'air tout à fait à l'aise. Il n'a même pas sourcillé devant le maître d'hôtel. Une facette de la personnalité de son ami qu'elle ignorait totalement. Comment imaginer que le jeune itinérant rencontré l'année précédente puisse être le même jeune homme que celui qu'elle voit se promener avec aisance dans un décor de cinéma!

— Mon père a dû retenir les services d'un traiteur pour le réveillon, a-t-il laissé tomber en entrant.

Mais Virginie, elle, a plutôt l'impression d'être au seuil d'un monde étrange qu'elle ne connaissait qu'à travers certaines émissions de télévision et qu'elle croyait tout à fait irréel. Elle sursaute quand un homme entre deux âges l'interpelle d'une voix autoritaire.

— L'amie de Sébastien, je suppose ? Virginie, c'est bien ça ?

Devant elle, vêtu de façon décontractée mais très chic, visage sévère sous la masse étonnante des sourcils broussailleux, se tient Me Duhamel. L'homme lui tend la main. Exactement tel que Sébastien le lui avait décrit. Un homme austère, impressionnant malgré une taille moyenne, peu engageant. Mais quand elle glisse sa main dans la sienne en le regardant droit dans les yeux comme elle le fait toujours, Virginie aurait envie de dire que son regard est bienveillant. « Non, rectifie-t-elle aussitôt, appréciant la poignée de main franche et solide, pas bienveillant mais plutôt anxieux. » Comme si Me Duhamel cherchait à lui plaire sans trop savoir s'il y parviendra.

— Oui, Virginie. Vous avez raison. Je suis l'amie de…

— Et moi, Antoine Duhamel, l'interrompt alors le père de Sébastien. Bienvenue chez nous et excusez les manières pour le moins désinvoltes de mon fils.

Se retournant d'un coup dans ce geste théâtral qu'il maîtrise si bien :

— Tu aurais pu nous présenter, Sébastien.

— Oui c'est vrai, admet le jeune homme en venant vers lui. Mais, vois-tu, j'avais quelqu'un à rencontrer d'abord. Je viens d'hériter d'un petit frère. Ça me semblait important.

Pendant un instant, le père et le fils se mesurent du regard. Puis Me Duhamel sourit et Virginie en reste bouche bée. Quand Me Duhamel sourit, l'homme austère s'efface aussitôt pour faire place à quelqu'un d'ouvert qui semble prodigieusement s'amuser.

— En effet, c'est important. Voilà cinq ans que je me tue à expliquer à Alexandre qu'il a deux frères.

Et, sans transition, il ajoute :

— Heureux que tu sois là, garçon.

« Garçon… » C'était là le seul mot gentil dont son père usait quand Sébastien était petit. Quand l'impassible homme de loi utilisait ce terme pour l'appeler, cela voulait dire qu'il était de bonne humeur et surtout qu'il était à jeun. L'ébauche d'un sourire effleure le visage de Sébastien quand il lui tend la main à son tour.

— Moi aussi, finalement, je pense que je suis content d'être venu.

— Parfait. Et maintenant, les cadeaux, lance alors Me Duhamel en regagnant sa place, égal à lui-même. Il y en a un qui ne tient plus en place depuis l'heure du souper. C'est à peine s'il a fermé l'œil en attendant l'heure du réveillon.

Puis, fronçant les sourcils et faisant mine de chercher autour de lui, le timbre de sa voix se faisant tout à coup très doux, il demande :

— Mais qu'est-ce que j'entends ? Alexandre, est-ce que tu entends, toi aussi ? On dirait que ça gratte…

— Le Père Noël ! Le Père Noël ! lance aussitôt le gamin, tout excité pour immédiatement s'élancer vers son père et grimper sur ses genoux, brusquement gêné.

Dans le hall, à deux pas en retrait, se tient un gros monsieur à la barbe blanche, au manteau rouge.

— J'veux pas aller sur ses genoux, murmure alors Alexandre, se blottissant encore plus étroitement contre la poitrine de son père.

— Mais comment veux-tu qu'il te donne tes cadeaux ? murmure doucement Me Duhamel sur ce ton que Sébastien n'a jamais entendu.

— J'ai peur. Je l'ai entendu l'autre jour au magasin : il a une trop grosse voix pour être gentil. Une grosse voix comme toi, des fois, quand tu parles de ton travail et que tu es en colère.

— C'est vrai que j'ai une grosse voix parfois. Tu as raison. Et alors ? Est-ce que tu as peur de moi pour autant ?

C'est alors que l'enfant éclate de rire. Un rire léger et moqueur.

— Ben non, voyons. T'es mon papa…

Subjugué, Sébastien assiste à ce dialogue en apparence anodin. Comme il doit y en avoir tant et tant entre un père et son fils. Pourtant, en ce moment, il a l'impression que c'est tout son passé qui lui court après, tentant de lui expliquer certaines vérités encore obscures pour lui. C'est Virginie qui avait raison: ce réveillon n'était qu'un mauvais moment à passer avant de découvrir de belles choses. L'homme assis dans un fauteuil du salon est son père, et Sébastien découvre qu'il ne le connaît peut-être pas vraiment. Et puis, c'est la première fois que le Père Noël daigne s'arrêter chez lui! Il n'aurait surtout pas voulu manquer ça! Comprenant que bien des choses ont changé sous le toit de Me Duhamel, et se laissant prendre au jeu, Sébastien se cale contre le dossier du fauteuil et regarde le gros homme qui a commencé la distribution des cadeaux. Jusqu'au moment où Muriel, ayant déballé le tableau que Sébastien a apporté pour elle et son père, s'exclame, une pointe de sévérité dans la voix, admirant le tableau à l'aquarelle:

— Antoine! Comment se fait-il que tu ne m'aies jamais parlé du talent de ton fils? C'est tout simplement prodigieux. Non mais, as-tu vu ce reflet du soleil sur l'eau?

— Pas mal.

— Pas mal? T'es aveugle ou quoi?

— Je répète: pas mal. Il y a toujours place à amélioration.

— On sait bien! Avec toi, rien n'est jamais parfait. Et encore, tout ce qui n'est pas article de loi a plus ou moins d'importance. Par chance que je suis avocate, car tu ne m'aurais jamais remarquée! Mais laisse-moi te dire que le temps de ton ignorance en matière d'art vient de se terminer. Je vais m'occuper de…

Décontenancé par les paroles de sa belle-mère, et surtout par le ton sévère qu'elle emploie, Sébastien reste suspendu à ses lèvres. Jamais sa mère n'aurait osé parler sur ce ton à son père. En fait, elle ne parlait pas beaucoup, sa mère, et semblait parfois se tasser sur elle-même quand on l'interpellait. Même les objets semblaient vouloir s'effacer quand Me Duhamel rentrait chez lui. On ne répliquait pas à son père et on s'efforçait de ne pas rester sur son passage. Pourtant, présentement, l'austère avocat semble s'amuser prodigieusement de cet échange verbal, tout comme Muriel qui le sermonne de belle façon. Les regards qu'ils échangent sont éloquents, chargés d'une complicité que Sébastien n'aurait jamais cru possible entre ses parents. Pendant un moment, brusquement ramené dans le temps et oubliant ce qui se passe autour de lui, Sébastien revoit clairement sa mère, trottinant sans arrêt à travers la maison, nettoyant et frottant. Tout, toujours, était impeccable dans la maison. Les repas étaient obligatoirement prêts à l'heure, le linge ne traînait jamais. Aussitôt porté, aussitôt lavé, empesé, repassé, rangé. Lentement, le regard de Sébastien fait le tour de la pièce. Dans un coin, quelques blocs et un camion. Sur la table à café, des revues en piles disparates. Jamais une telle chose n'aurait été imaginable du temps de sa mère. Elle disait que son mari ne tolérait pas le désordre. Alors que visiblement, aujourd'hui... Sébastien sursaute quand Alexandre le tire par la manche de son chandail.

— Allez, Sébas ! Viens m'aider à monter mes jouets dans ma chambre !

— Je peux ? demande alors Sébastien cherchant son père du regard.

Ce dernier hausse les épaules.

— Tu es ici chez toi. Tu vas où tu veux. Il n'y a pas de pièces interdites, à ce que je sache.

Sébastien retient à grand-peine la réplique spontanée qui lui monte aux lèvres. À l'époque, seules la cuisine et leurs chambres étaient permises aux deux gamins qu'ils étaient, Maxime et lui. Mais il semble bien que les choses aient changé ici. L'espace d'un battement de cœur, Sébastien aimerait savoir ce qui s'est passé, essayer de comprendre ce qu'était leur vie de famille à l'époque. Mais il se tait. À quoi servirait de faire lever la vieille poussière ? Et pour y découvrir quoi ? Pas maintenant, pas ce soir...

— Allez, viens, s'impatiente Alexandre.

Alors, portant les yeux sur ce petit demi-frère que la vie lui a donné, Sébastien sourit.

— D'accord, d'accord, j'arrive.

Brusquement, il lui tarde de voir où on a installé la chambre d'Alexandre...

Gravissant lentement les marches du long escalier double, Sébastien se sent anxieux, s'avouant intérieurement qu'il n'aimerait pas qu'on lui ait donné sa chambre.

Finalement, le gamin dort dans l'ancien bureau de son père. Curieusement, et sans qu'il ne cherche à comprendre d'où lui vient ce sentiment, Sébastien en est soulagé. Cela ressemble à du respect ou peut-être à de l'espoir, et une curieuse émotion lui fait débattre le cœur.

Aussitôt les jouets neufs lancés sur son lit, pressé et curieux de voir s'il n'y a pas autre chose pour lui par hasard — on ne sait jamais ! —, Alexandre le reprend par la main pour retourner au salon.

— Tu viens ?

Mais Sébastien n'a pas envie de redescendre. Pas tout de suite.

— Dans un instant, Alexandre. Je te rejoins dans un instant.

Le bambin file sans poser de questions, encore tout excité par l'ambiance de la fête, alors que Sébastien revient dans le couloir, l'esprit tout entier tourné vers son passé. À l'autre bout du corridor, comme isolées dans une alcôve, il y a les deux portes de sa chambre et de celle de Maxime, face à face. Impulsivement, Sébastien s'y dirige et lentement, il tourne la poignée de celle qui donne sur la façade de la maison. C'était sa chambre.

C'est toujours sa chambre.

Autant qu'il s'en souvienne, ici, rien n'a bougé. Les posters de *La guerre des étoiles*, les étagères croulant sous les livres et les jouets bien rangés, le tapis moucheté qu'il avait lui-même choisi... Sébastien est curieusement ému en constatant que rien n'a été donné à Alexandre. Pas même le gros ours en peluche tout neuf, donné par sa mère malgré le fait qu'il venait d'avoir douze ans. Il est toujours assis sur son lit. Comme si le toutou l'attendait depuis huit ans... Et de nouveau, Sébastien remonte dans le temps. Il se revoit, au matin de son départ. Le travailleur social venait de lui dire de se choisir quelques objets qu'il aimait bien car il partait pour quelque temps. Il se rappelle aussi qu'il avait été déchiré de laisser son gros ours derrière lui. Le jouet sentait encore le parfum de sa mère et c'est tout ce qui lui restait d'elle. Mais le garçon de douze ans avait peur qu'on se moque de lui. Et puis le travailleur social avait dit de ne rien prendre de trop gros parce qu'il n'aurait probablement pas de chambre à lui. Et cela l'intriguait. Dans le quartier, tous ses amis avaient une chambre bien à eux. Où donc l'emmenait-on? Et maintenant, tout en promenant distraitement les doigts dans la peluche épaisse de son ours, Sébastien se souvient fort bien qu'il ne voulait pas partir. Tant pis pour les taloches derrière la tête, ici c'était chez lui et il voulait y rester. Mais on l'avait emmené quand même…

Il revient ensuite dans le couloir et ouvre la porte de la chambre de son frère. C'est alors que le passé se soude brutalement au présent. Ici, tout est différent. Rien ne subsiste de la pièce colorée qui avait abrité l'enfance de Maxime. Il est vrai que son frère l'habitait encore il y a de cela quelques semaines à peine et que le décor dont Sébastien se rappelle ne convenait plus. Pourtant, malgré ce fait, la chambre ne ressemble en rien aux souvenirs qu'il garde de son frère. La pièce est sombre, lugubre même, avec ses tons de gris, de noir et de beige. Nulle couleur vivante, pas le moindre accessoire coloré. Pour Sébastien qui dessine par instinct des jardins multicolores et des paysages pleins de soleil, cette constatation est déconcertante, dérangeante même. Qui pourrait aimer vivre dans une chambre aussi ascétique qu'une cellule de monastère? Seul un être tourmenté peut s'y sentir à l'aise, Sébastien en est convaincu.

Alors qui donc est son frère? Serait-il devenu un étranger pour lui?

En se retournant pour quitter la pièce, son regard tombe sur l'image d'une espèce de fantôme hurlant. C'est la reproduction d'une toile de Munch, un peintre norvégien, obsédé par la mort. Sébastien n'a jamais aimé ce visage qui fait naître en lui un curieux malaise. Cette toile s'appelle *Le cri* et, brusquement, c'est la voix de Maxime qui résonne à ses oreilles. Le petit Maxime qui cherchait refuge auprès de lui, car il avait peur des orages et des gens qui criaient. Lentement, Sébastien regarde autour de lui. Non, rien ici ne rappelle le petit garçon un peu timide, souvent inquiet, parfois effarouché, mais quand même espiègle dont il se souvient. Puis son regard revient à l'image du visage blême, à la bouche grande ouverte qui semble hurler d'horreur, et c'est l'urgence d'agir qui lui saute au cœur. L'image du fantôme et Maxime ne font qu'un, et un lancinant appel au secours hurle aux oreilles de Sébastien. D'en bas lui parviennent les bruits joyeux de la fête. Alors Sébastien serre les poings. Mais que font-ils tous ici à festoyer alors que Maxime est seul, au bout du monde, en danger, peut-être, selon les dires de son père ?

Revenant sur ses pas, Sébastien se dirige tout de suite vers le salon d'où lui proviennent des rires. Lui, il n'a plus le cœur à rire.

— Papa ?

La voix de Sébastien, grave et forte, suspend les rires, interrompt les conversations. Antoine Duhamel se retourne.

— Oui ? Quelque chose qui ne va pas ?

— Rien ne va... Quand est-ce qu'on part rejoindre Maxime ?

— Et tes cours de dessin qui doivent commencer dans...

Sébastien hausse les épaules.

— Ça fait tellement longtemps que j'attends ce jour-là que je peux attendre encore un peu. Je crois que j'ai plus important à faire.

Alors Me Duhamel vient vers lui, la main tendue et le regard brillant.

— Merci, garçon. Pour Maxime je te dis merci. Je me renseigne et je te fais signe dès que possible.

Pendant un moment, les deux hommes se regardent droit dans les yeux. Puis, après une pression un peu plus forte de sa main sur celle de Sébastien, Me Duhamel ajoute :

— Mais pour l'instant, si tu permets, on va continuer la fête. Il y a ici un gamin qui ne comprendrait pas que Noël s'arrête brusquement. Tu peux comprendre cela, n'est-ce pas ?

À ces mots, Virginie comprend qu'il y a eu erreur sur la

personne. Elle ne sait du passé de Sébastien que ce qu'il a bien voulu conter. Et jamais elle ne mettrait sa parole en doute. Mais Me Duhamel n'est pas l'homme insensible qu'elle croyait. Elle en est persuadée. Impressionnant, oui, autoritaire sans nul doute, mais pas insensible. Alors, approchant de Sébastien, elle glisse sa main sous son bras.

— Viens, Sébas. Tu n'as même pas déballé tes cadeaux. Et il y en a un de la part d'Alexandre. Je suis certaine que ça va lui faire plaisir que tu l'ouvres en premier.

Chapitre 3

« Il y a des affaires de même dans la vie… Même si on fait toute pour les arranger, on dirait que quelqu'un s'amuse à les détricoter en arrière de soi. C'est le destin, je crois ben. Pis ça… y'a personne qui peut y échapper. Personne… »

Paroles de Mélina au printemps 1943

Depuis plus de deux jours, il neige sans arrêt. Les beaux flocons lourds de la nuit de Noël ont cédé la place à une poussière de neige qui s'est emparée du paysage et du quotidien des gens. Tout a commencé pendant le réveillon et cela continue de plus belle, sans le moindre répit depuis cette nuit-là. Les routes sont dangereuses, les commerces restent fermés. Au grand désespoir de Cécile qui aimerait bien convaincre Jérôme d'aller à Montréal. Mais avec ce temps, elle n'ose même pas lui en parler, sachant à l'avance la réponse qu'il va lui faire. Et il aurait raison : c'est à peine si on distingue les grands sapins qui bordent le rang devant la maison, et l'érablière, derrière la grange, tout au fond du champ, disparaît dans un nuage de poudrerie. Même le retour après le réveillon s'est avéré une véritable aventure et si ce n'avait été des qualités de conducteur de Jérôme, ils seraient encore à Québec. Poussant un profond soupir de déception et d'impatience, Cécile laisse retomber le rideau de dentelle blanche et se dirige vers le poêle. Même si elle n'a pas très faim depuis avant-hier, elle doit voir au repas du midi. En fait, c'est le départ précipité de François et de sa petite famille qui lui a coupé l'appétit. Depuis lors, elle ne cesse de penser à eux. Car, lorsqu'elle avait rejoint Marie-Hélène dans l'ancienne chambre de François, croyant pouvoir lui parler, la réconforter, la jeune femme avait les yeux pleins de larmes et, tout en tenant fermement Laurence contre elle, elle finissait déjà de boucler les valises.

— Et ne vous avisez surtout pas de me faire changer d'avis, avait-elle lancé, agressive.

C'étaient là les seules paroles que Marie-Hélène avait eues à l'intention de Cécile, sur un ton qu'elle ne lui connaissait pas. Derrière la voix légèrement tremblante mais tranchante comme l'acier, Cécile avait entendu la blessure, l'angoisse. Mais comme la vieille dame n'est pas femme à s'imposer, elle n'avait rien dit. Empoignant le sac du bébé, Marie-Hélène avait quitté la pièce sans autre explication.

— Je t'attends dans l'entrée, François.

Quant à ce dernier, il avait haussé les épaules, fataliste, une lueur d'excuse dans le regard.

— Elle a peut-être raison, Mamie. Je ne sais pas. Je ne sais plus…

Puis il l'avait embrassée sur la joue.

— Ça ne ressemble pas à ce que j'imaginais… Je dis bonsoir à maman et je la rejoins… Je ne veux pas la faire attendre. Je t'appelle dès que possible, avait-il ajouté devant la visible inquiétude qu'il lisait dans le regard de sa grand-mère.

Et quand Cécile avait rejoint les autres au salon, le regard lancé par Dominique était sans équivoque : sa fille se doutait bien de quelque chose. Profitant de la présence des nombreux invités, Cécile avait évité de se retrouver seule avec elle.

Depuis, nulle nouvelle de personne.

C'est pourquoi Cécile ronge son frein, n'osant les déranger, maugréant contre la température exécrable. Si au moins elle pouvait aller à Montréal ! L'excuse d'une visite à son frère Gérard la servirait à merveille. Quoi de plus normal que d'aller saluer son arrière-petite-fille alors qu'elle est de passage dans la métropole ? De là à essayer d'aider Marie-Hélène, il n'y aurait qu'un pas à franchir. Un pas que Cécile franchirait sans la moindre difficulté, elle n'en doute aucunement. Une fois la poussière de l'autre nuit retombée, Cécile se dit que les liens qui l'unissent à Marie-Hélène devraient permettre un certain dialogue. La jeune mère semble tellement tendue, inquiète. Comme un petit animal aux abois.

— Fichu temps, n'est-ce pas ?

Jérôme vient d'entrer dans la cuisine et à son tour, machinalement, il repousse le rideau pour regarder à l'extérieur.

— À qui le dis-tu !

Trop heureuse de voir qu'enfin quelqu'un partage sa vision des choses, Cécile laisse éclater sa mauvaise humeur. Amusé par le ton mordant de sa douce, si peu naturel chez elle, Jérôme se retourne vers Cécile, délaissant son appréciation de la température extérieure.

— Oh là ! Mais que se passe-t-il ? Si je me rappelle bien, habituellement, tu aimes les tempêtes, non ?

— En temps normal, oui.

— Et alors ? Qu'y a-t-il d'anormal aujourd'hui pour que tu aies changé d'avis concernant les tempêtes de neige ?

Cécile ne répond pas tout de suite. Comment expliquer à Jérôme que son intuition lui dicte d'aller voir Marie-Hélène ? Ce besoin est là, en elle, aussi présent que l'inquiétude qu'elle ressent pour son petit-fils et Laurence. « Aussi réel que cette maudite tempête de neige » pense-t-elle alors en soupirant, les yeux tournés vers la fenêtre au-dessus de l'évier. Repoussant du bout du couteau les légumes qu'elle était à préparer, Cécile se retourne et sourit un peu tristement à Jérôme.

— C'est juste que j'aimerais aller à Montréal.

Jérôme ouvre de grands yeux.

— Montréal ?

— Oui, Montréal. On n'en a pas reparlé, mais Marie-Hélène me semblait pour le moins crispée l'autre nuit. Tu ne trouves pas ?

Jérôme se donne le temps d'un soupir en haussant les sourcils.

— Oui, peut-être... Par contre, même si je n'y connais pas grand-chose, il me semble que c'est normal pour une jeune femme qui vient d'accoucher, non ? Toi-même, l'autre nuit, tu disais que... Comment appelle-t-on ça, encore ?

Cécile ne peut s'empêcher de rire doucement.

— Le *baby blues*. C'est vrai, tu as raison. Après l'accouchement, c'est relativement fréquent d'avoir une petite passe dépressive. Mais là...

Curieusement, refaisant surface à la vitesse de l'éclair, un vieux souvenir lui revient à l'esprit. Probablement le moment le plus pénible de sa vie. Elle se revoit devant une fenêtre de pouponnière tentant de trouver sa fille au milieu d'une vingtaine de bébés. Elle n'était alors qu'une toute jeune femme, elle n'était pas mariée, elle venait d'accoucher quelques heures auparavant et son bébé n'était déjà plus là. Sa petite fille était partie rejoindre sa famille d'adoption et elle, Cécile, sa mère, ne l'avait même pas vue. Aujourd'hui, en pensant à Marie-Hélène, la vieille dame se souvient de la douleur alors ressentie. Si forte, si dure qu'aucun mot ne saurait la décrire. Cela n'a peut-être rien à voir avec la situation de Marie-Hélène, mais les émotions, elles, doivent être les mêmes. Ce sentiment d'injustice, d'impuissance… Quand on apprend que son bébé est peut-être atteint d'un mal sournois et grave, on doit aussi avoir mal à crier. Impulsivement, Cécile a fait les quelques pas qui la séparait de Jérôme et elle vient se blottir tout contre lui.

— Si tu savais tout ce qui me traverse l'esprit, Jérôme. L'esprit et le cœur. C'est plus fort que moi. Chaque fois qu'il y a une naissance, on dirait que…

— Je sais, ma douce, je sais…

Pendant un moment, ils restent ainsi, enlacés, silencieux. Ce passé qu'ils partagent à deux… Puis Jérôme reprend.

— Mais pour l'instant, il n'y a rien que l'on puisse faire pour François et Marie-Hélène.

Cécile relève le front et regarde intensément Jérôme. Comment peut-il parler de la sorte ?

— Je pourrais leur parler, expliquer…

— Expliquer quoi, Cécile ? Que c'est bien malheureux mais qu'ils doivent apprendre à vivre avec leur inquiétude ? Dis-toi bien qu'ils le savent déjà.

Au fond d'elle-même, Cécile sait bien que Jérôme a raison. Ce qui ne l'empêche pas d'insister.

— Mais quand même… Savoir qu'ils ne sont pas seuls… Il me semble que…

Il est rare que Jérôme fasse obstacle aux intuitions de sa femme. Habituellement, quand elle juge, quand elle sent qu'elle doit agir, Jérôme lui fait confiance. Mais présentement, il est convaincu que ce serait forcer les choses et leur intimité que d'aller au-devant de François et Marie-Hélène. Ils n'ont pas besoin de cela pour l'instant.

— Non, Cécile. Je suis persuadé qu'on n'a pas à intervenir. En cas de besoin, Marie-Hélène et François savent très bien qu'on est là.

Cécile ne répond pas, un peu déçue. Dans le fond, la tempête n'était qu'un prétexte et elle se doutait bien que Jérôme ne serait pas d'accord avec son idée d'aller à Montréal. De là sa mauvaise humeur… Elle se dégage de l'étreinte de ses bras en soupirant.

— Comme tu veux.

Sentant toute la déception qu'il y a dans le ton de sa voix, Jérôme la retient par le bras et l'oblige à se tourner vers lui.

— Je n'aime pas te sentir triste, Cécile. Et je sais bien que tu es toujours prête à voler au secours des tiens quand tu les sais malheureux. Mais cette fois-ci, je ne pense pas que ce soit une bonne chose. François et Marie-Hélène doivent s'ajuster à leur vie, Cécile. Et personne d'autre ne peut le faire à leur place. Mais promis, s'ils nous appellent pour quelque raison que ce soit, on essaiera de profiter de l'occasion pour se faire inviter… Qu'est-ce que tu en dis ? Dans un sens ou dans l'autre, notre présence serait alors justifiée. Si tout est rentré dans l'ordre, on partagera leur joie. Et si tout va de travers, alors on pourra tenter de les aider. Mais s'il te plaît, attendons qu'ils nous fassent signe. De toute façon, avec la température…

À ces mots, Cécile ne peut s'empêcher de tracer un sourire sarcastique.

— On y revient ! C'est bien ce que je disais : température de fous !

Pourtant, au bout d'un silence, elle avoue :

— Dans le fond, je sais bien que tu as raison. François et Marie-Hélène ont bien des choses à ajuster dans leur vie. À commencer par apprendre à vivre avec un bébé ! Mais je te jure que s'ils appellent, ça prendra pas goût de tinette, lance-t-elle en fronçant les sourcils, adoptant volontairement une vieille expression du terroir pour détendre l'atmosphère. Je pars dans l'heure. Tempête ou non!

* * *

Le trajet de retour entre Québec et Montréal avait suffi à lui seul à mettre les nerfs de François en boule. Avec toute cette neige qui tombait, la nuit déjà bien entamée, il était enfin arrivé chez eux fourbu. Marie-Hélène avait fait la route assise à l'arrière, auprès de sa fille, et la jeune femme avait reniflé aux trois minutes, incapable de maîtriser son chagrin. À peine le temps de garer la voiture et d'en faire le tour pour ouvrir la portière que déjà Marie-Hélène l'avait devancé et elle se trouvait sur le trottoir, Laurence dans ses bras. Sans dire un mot, elle s'était dirigée vers la maison. François sentait bien qu'elle lui en voulait, mais il n'arrivait pas à comprendre pourquoi. Était-ce le simple fait d'avoir voulu présenter leur fille à ses grands-parents qui avait causé tout ce drame?

— Ridicule, avait-il murmuré en attrapant leur valise pour la monter à l'appartement.

Quand il était entré dans le salon, le manteau de Marie-Hélène et les couvertures de Laurence gisaient avachis sur le canapé, selon la toute nouvelle vision des priorités. François avait eu un sourire attendri. «C'est vrai qu'un bébé prend beaucoup de place» avait-il alors pensé. De la chambre de Laurence lui parvenait la voix de Marie-Hélène qui devait être en train de la changer avant le boire de nuit. Indécis, François avait hésité, tenté de les rejoindre. Sur un long soupir, il avait décidé que non. Il n'avait pas envie de se faire rabrouer encore une fois pour des peccadilles. Depuis son retour à la maison après l'accouchement, François ne savait plus sur quel pied danser avec Marie-Hélène. On l'avait prévenu qu'une jeune mère était parfois difficile à vivre dans les premiers temps. Mais jamais il n'aurait pu imaginer que ce pouvait être pénible à ce point-là. Depuis des mois qu'il rêvait de tenir sa fille dans ses bras, qu'il attendait impatiemment le temps où, à son tour, il pourrait s'en occuper, et voilà que c'était à peine s'il pouvait s'en approcher ! François se sentait inutile et démuni. Il était surtout immensément déçu. Sans dire un mot, il avait porté leur valise dans la chambre, s'était dévêtu et s'était couché, se promettant d'attendre Marie-Hélène afin de lui parler. À ses yeux, la situation telle qu'ils la vivaient ne pouvait guère durer plus longtemps sans risquer de s'envenimer. Mais le sommeil l'avait pris par surprise et quand Marie-Hélène avait regagné la chambre à son tour, François dormait comme un bienheureux.

C'est un peu plus tard, aux petites heures du matin, que la crise avait atteint son apogée.

— Déjà, avait-il grogné à moitié éveillé par les cris véhéments de leur bébé affamé. Ma parole, ça mange tout le temps, ces petites choses-là ! J'y vais, avait-il soupiré en repoussant les couvertures.

Curieusement, Marie-Hélène était parfaitement éveillée et elle se glissait déjà hors du lit.

— Tant qu'à t'entendre disputer après elle, j'aime autant y aller moi-même.

Le ton était agressif. Elle l'avait même repoussé contre les oreillers en voyant que François persistait à se lever.

— Reste couché, on n'a pas besoin d'être deux pour donner un biberon.

C'est à ces mots que François avait perdu patience. Ce n'était pas ainsi qu'il aurait voulu aborder le sujet, mais tant pis. Il y avait certaines choses qui se devaient d'être mises au clair.

— Ça suffit, Marie. Laurence, c'est aussi ma fille au cas où tu l'aurais oublié. Ça me ferait plaisir de m'en occuper un…

— Plaisir ? T'es pas sérieux quand tu dis ça ? Tu passes ton temps à rouspéter qu'elle pleure trop fort, qu'elle a faim tout le temps.

— Et après ? C'est vrai que Laurence a une voix qui porte bien, non ? Et c'est vrai qu'on dirait qu'elle n'est jamais rassasiée. Mais ça n'empêche pas que j'ai envie de m'en occuper.

Dans la chambre d'à côté, comme pour lui donner raison, on entendait Laurence qui hurlait à fendre l'air. François avait eu un sourire.

— L'entends-tu ? Ne viens pas me dire que ces cris-là ne sont pas agressants, non ? Même si je sais que c'est normal, moi, ça me dérange. Mais ça n'a rien à voir avec l'amour que j'ai pour elle. Essaie donc de comprendre.

— Ce que je comprends, c'est que tu es impatient avec Laurence. Ça, tu ne peux pas le nier. Et moi, vois-tu, je ne peux pas le tolérer. Un point c'est tout. Alors reste couché et rendors-toi.

— Et si j'insiste ? Je veux lui donner son boire.

— Et moi je refuse.

Le visage de Marie-Hélène était inondé de larmes. Ses mains tremblaient, sa voix aussi, même si malgré cela elle était étrangement dure et froide.

— Si je l'allaitais, tu ne penserais même pas à la faire boire. Ça serait normal que ce soit moi qui me lève et m'en occupe. Personne n'y trouverait à redire. Et on n'en serait pas là à s'engueuler en pleine nuit pour savoir qui va prendre soin de Laurence. Mais je n'ai pas le droit de l'allaiter. Te rends-tu seulement compte de ce que ça peut vouloir dire pour moi ? Je ne peux pas allaiter ma fille, car je risque de lui transmettre la mort, François. Je donnerais ma vie pour elle, mais je ne peux pas la nourrir de mon lait parce que je risque de la tuer en faisant ça. Et tout ça à cause du virus que tu…

Sur ces mots, Marie-Hélène s'était tue brusquement, le visage empourpré. Accusation à peine voilée qui avait atteint François d'un direct au cœur. Il s'était mis à trembler à son tour, comme une feuille malmenée par l'orage, incapable de se contenir. Marie-Hélène n'avait nullement cherché à diminuer la portée de ses paroles.

— Alors, de grâce, ne m'enlève pas la joie de lui donner à boire, d'accord ? Ne m'enlève pas ça.

C'était une sommation. Puis, après un court silence :

— Et ça vaut aussi pour toutes les grands-mères du monde, avait-elle ajouté en quittant la chambre.

Et sa voix était toujours aussi froide en prononçant ces derniers mots.

Incapable de se rendormir, François s'était levé et machinalement il avait enfilé ses vêtements, son manteau et il était sorti de l'appartement. Dehors, il neigeait toujours et à six heures du matin, en cette fin de décembre, il faisait encore nuit noire. Mais le fond de l'air était doux. Alors, laissant son instinct de travailleur de rue le guider, il s'était mis à marcher sans but, les paroles de Marie-Hélène le poursuivant comme une implacable litanie. Longtemps, les yeux au sol, François avait marché. Puis, alors qu'il se trouvait tout près du Vieux-Port, François avait fait volte-face. Brusquement et en serrant les poings. Comme quelqu'un qui vient de décider d'affronter son ennemi et qui veut le faire avant de perdre courage. Non, il ne laisserait pas la culpabilité envahir sa vie comme elle l'avait fait l'an dernier. Leur vie à tous trois se devait de dépasser ce seuil de l'intolérable. Et si Marie-Hélène était incapable d'aller au-delà de son inquiétude, lui, François, il allait tenter de le faire pour elle. Car bien présente en lui, la lueur de l'espoir persistait. Et cette toute petite flamme s'entêtait à dire que tout n'était pas perdu et que malgré l'inquiétude, il fallait regarder devant. Il fallait croire coûte que coûte, en dépit de la maladie. François avait compris que sans cette foi absolue, sa vie ne voudrait plus rien dire. Et dorénavant, quand il pensait à sa vie, c'était aussi à Laurence qu'il pensait. À Laurence et à Marie-Hélène. Il était alors entré chez lui, toujours sur le qui-vive face à une Marie-Hélène imprévisible depuis l'accouchement, mais tout de même apaisé et confiant. Confiant en lui, en la vie, malgré tout. Quoi qu'il pût arriver, sa fille allait être heureuse. Elle aurait droit à une vie teintée de l'amour que ses parents ressentaient pour elle. Pour l'instant, et même plus tard, il n'y avait que cela d'important, d'essentiel. Et Marie-Hélène allait devoir comprendre que Laurence avait deux parents pour l'aimer : une mère et un père. François n'avait peut-être pas eu le privilège de la porter, de la mettre au monde, la nature étant ce qu'elle est, mais il aimait Laurence tout autant que Marie-Hélène. Et cela, elle allait devoir l'accepter et en tenir compte.

* * *

Pourtant, malgré la bonne volonté évidente de François qui s'ingénie à aider du mieux qu'il le peut, Marie-Hélène reste l'ombre d'elle-même. Effacée, silencieuse, elle n'a de yeux et de sourires que pour Laurence qu'elle garde en permanence avec elle. Retirée dans un monde qui semble imperméable à tout ce qui n'est pas sa fille, c'est à peine si Marie-Hélène semble s'apercevoir de la présence de François. Sa vie est réglée sur celle du bébé.

Profitant d'un des rares instants où il peut approcher sa fille, alors que Marie-Hélène prend son bain, François s'est glissé dans la chambre du bébé. Fidèle à elle-même, Laurence dort à poings fermés. Alors, répondant à l'envie qu'il a de sentir la chaleur de sa fille tout contre lui, François la soulève délicatement et, refermant la couverture sur le petit corps roulé en boule, il s'installe dans la chaise berçante près de la fenêtre. Dehors, un froid glacial a remplacé la neige des derniers jours et dessine une forêt de givre sur les carreaux de la fenêtre. La lune à son dernier quartier y accroche sa lumière avant de poser une lueur bleutée sur la tignasse de soie brune, toute bouclée, de bébé Laurence. « Elle a les mêmes cheveux que maman » pense François, étrangement ému de constater la ressemblance. Impulsivement, amoureusement, son doigt caresse la joue rebondie et si douce du bébé. Il est heureux, comblé par la présence de ce petit être si fragile et si fort à la fois. De toute la force de l'amour que Laurence fait naître en lui, il jure de tout faire pour qu'elle soit heureuse. Il voudrait être à la fois le père et l'ami. Celui en qui elle pourra toujours avoir confiance, sur qui elle pourra toujours compter. Il espère du plus profond de son cœur qu'il n'y aura jamais de rancune ou de secret entre eux. C'est à cette pensée que toute l'ambivalence de sa vie lui saute aux yeux. Mais de quel droit peut-il espérer une si belle relation avec sa fille, lui qui tient ses parents à l'écart du tragique destin qui est le sien ? Il comprend alors que c'est la peur qui le retient. Peur d'être jugé, rejeté. S'il avait appris qu'il était atteint du cancer, aurait-il eu ce réflexe de silence ? Honnêtement, il doit admettre que non. Spontanément, il aurait cherché refuge auprès de ceux qui l'ont toujours soutenu. Et le fait de se dire qu'il voulait les protéger n'était qu'un prétexte à son choix. Comme si son silence modifiait la réalité. Sa réalité. Tout en berçant sa fille, François comprend qu'être parent, c'est aussi accepter de souffrir, d'avoir mal. Il admet enfin qu'il préférerait avoir mal plutôt que d'apprendre que Laurence souffre seule, loin de lui.

C'est à l'instant où il se promet de parler à ses parents dès que possible que Marie-Hélène entre dans la chambre.

— Mais veux-tu bien me dire ce que tu fais là ?

François qui ne l'avait pas entendue arriver sursaute et lève la tête. Marie-Hélène aperçoit alors les larmes qui brillent dans ses yeux. Est-ce cette vulnérabilité, cette apparente fragilité qui réussit enfin à se frayer un chemin à travers l'enchevêtrement de ses émotions ? Pendant un instant, Marie-Hélène reste immobile, écoutant les battements désordonnés de son cœur. Sa sensibilité mise à nu depuis la naissance de Laurence ne peut résister à cet appel. D'un élan, la jeune femme est auprès de François. Elle se met à genoux à côté de la chaise berçante, prend son visage entre ses mains. Curieusement, les larmes de François ont un pouvoir apaisant, réconfortant. Peu importe ce qui a pu les provoquer, Marie-Hélène accepte enfin qu'elle n'est pas seule. Comment a-t-elle pu douter ? Longuement, François et elle se regardent, plongent un dans l'autre. Intensément, silencieusement. En cet instant, les paroles seraient de trop. Puis, avec une très grande douceur, Marie-Hélène entoure les épaules de François d'un bras maternel et pose délicatement son autre main sur le corps de Laurence.

— J'ai peur, François. Pour elle, pour nous.

— Moi aussi j'ai peur, Marie. Mais on ne doit pas se laisser guider par cette peur.

— Je sais. Mais c'est plus fort que moi. Elle est si petite.

— Oh ! oui, elle est petite ! Et c'est justement pour cela que nous deux, on doit être forts. Elle a besoin de nous, Marie.

— Tu as raison. Je sais que tu as raison.

De nouveau, Marie-Hélène se tait. Puis elle ajoute dans un murmure, comme si elle ne parlait que pour elle-même :

— Quand j'étais enceinte, ma plus grande crainte était de mourir avant mon bébé. Si tu savais le nombre de fois où j'ai bâti des scénarios pitoyables d'enfants orphelins. C'était une vraie obsession. Aujourd'hui, c'est le contraire. J'ai l'impression que mon esprit a basculé quand elle est venue au monde et je n'arrête pas d'imaginer ce que je deviendrais s'il fallait que Laurence parte avant moi. C'est pour ça que je ne veux voir personne. J'ai tellement peur qu'elle attrape une grippe, un virus. S'il fallait qu'à cause de notre négligence... C'est pour ça aussi que je la garde avec moi tout le temps. J'ai l'impression que lorsqu'elle est dans mes bras, rien ne peut lui arriver. C'est ridicule, mais je n'y peux rien.

À ces mots, François comprend que le désespoir qui habite Marie-Hélène est total, incontrôlable. Et c'est ce désespoir qui a guidé ses gestes, ses propos. Comment pourrait-il lui en vouloir ? Se dégageant de l'étreinte de Marie-Hélène, c'est lui maintenant qui entoure ses épaules d'un bras protecteur.

— Pourquoi n'avoir rien dit, Marie ? Pourquoi avoir gardé cette peur pour toi toute seule ? Si tu savais comme je comprends mieux. Tu aurais dû parler, mon amour. Je suis là. On est deux à l'aimer, notre petite Laurence. Et nous serons deux à trembler pour elle si un jour...

— Je sais.

Levant les yeux vers François, Marie-Hélène ajoute :

— Je t'aime, François.

— Oh ! Moi aussi je t'aime, je vous aime. Tellement...

Pendant un long moment ils restent enlacés, la petite Laurence dormant entre eux. Tout doucement, François se dégage.

— Viens, Marie. Maintenant on va dormir. Avec un peu de chance on a peut-être deux heures devant nous.

— Et Laurence ?

François répond à cette interrogation par un sourire ému qu'il pose sur le bébé endormi.

— Laurence ? Elle vient avec nous. Tu sais, moi aussi j'ai l'impression qu'elle est en sécurité auprès de nous. Que tant que nous veillerons, rien ne saurait l'atteindre.

Ce n'est que plus tard, au moment où les premières vagues du sommeil commencent à l'emporter, que François repense à ses parents. Il entend le souffle régulier de Laurence qui dort tout contre lui et, avant de s'endormir pour de bon, il jure que plus jamais il ne tiendra ses parents à l'écart de sa vie. C'est avec eux qu'il veut désormais partager les joies comme les peines que la vie sèmera sur son passage.

Chapitre 4

« Faut pas laisser les regrets v'nir gâcher ton plaisir.
Garde tous tes souvenirs ben précieusement dans ton cœur
pis fonce drette en avant de toi. Y'a rien que de même
qu'on peut être heureux. »

Parole de Gisèle Veilleux, tante de Cécile, à l'automne 1953

Janvier, jusqu'à ce jour, brise des records de froidure. Et comme le grommelle si bien Sébastien, chaque matin quand il vérifie le thermomètre :

— Pour un ancien itinérant comme moi, il n'y a rien de pire que le frette...

Les quelques carrefours qu'il doit traverser pour se rendre à son école d'art en sortant de l'autobus suffisent à le renfrogner. Mais l'odeur de peinture et de diluant qui imprègne le local ravive son sourire.

Jamais de toute sa vie il n'a été aussi heureux.

Du matin au soir, penché sur sa table à dessin ou devant son chevalet, il oublie tout. Même le fait que son père n'a pas encore appelé pour lui parler de leur départ afin de retrouver Maxime perd de son importance quand il est à ses cours. Pourtant, au soir du réveillon, Me Duhamel semblait heureux de constater que Sébastien était prêt à partir immédiatement. Heureux et visiblement soulagé. Mais depuis ce jour, il n'a donné aucune nouvelle.

— Probablement que ton père n'a rien de nouveau à dire, avait suggéré Virginie. Si, comme tu le dis, Maxime le fuit, il n'est sûrement pas facile à trouver. Et puis, un avocat comme ton père ne peut probablement pas quitter la ville comme bon lui semble à tout moment. Il doit avoir des procès en cours. Non ?

— Peut-être, oui...

Invariablement, ils en restent là. Mais, chaque soir, le rituel de la question de Sébastien est respecté. La première chose qu'il fait en entrant quand il rejoint Virginie à leur appartement, c'est demander si son père a appelé... Et devant la réponse négative chaque jour répétée, il a un bref instant d'intériorité, comme un voile qui se pose sur son regard, avant de se ressaisir et de se lancer avec enthousiasme dans la description de sa journée.

— Fabuleux! C'est inouï tout ce que j'arrive à faire avec un peu de technique. Incroyable! Attends que mes peintures soient sèches et que je puisse les apporter sans risquer de les abîmer. Tu vas voir le progrès. Même mon professeur dit que...

Immanquablement, il en a pour une bonne demi-heure d'explications, de descriptions, de détails à raconter. Devant sa visible euphorie, Virginie se prête au jeu de bonne grâce. Jamais elle n'aurait pu imaginer que le jeune homme taciturne qu'elle a connu puisse être à ce point exubérant. Petit à petit, elle voit Sébastien changer, devenir plus sûr de lui. Entre eux, la relation aussi se modifie, se stabilise. Virginie n'est plus uniquement l'appui dont Sébastien croyait avoir besoin à travers l'amour qu'il ressentait pour elle. Virginie est maintenant la compagne, l'amie avec qui il peut tout partager. Les études de la jeune fille vont bon train, et de plus en plus souvent elle parle de devenir professeur.

— Il me semble que j'aimerais ça, passer mes journées avec une bande de gamins. J'aime les enfants. Mais je crois que je préférerais les petits. Deuxième, troisième année... Avec les ados je suis moins à l'aise.

L'avenir se dessine tranquillement. Ils le voient de plus en plus précis, ensemble, tous les deux, et ils en parlent avec enthousiasme.

— Quand on pourra le faire, on va déménager.

— Oh! oui! J'aimerais bien avoir un atelier. Un coin dans la cuisine, ça peut aller pour de l'aquarelle, mais avec l'huile...

— Et moi une salle d'étude qui sera peut-être un jour une salle de correction. J'en ai assez de voir traîner des piles de papier et plein de livres partout dans notre chambre.

— Et moi j'ai toujours peur qu'il arrive malheur à mes dessins. Ça me donne des sueurs dans le dos de les voir partager la même table que la cafetière ou les bols de soupe!

Ils ont des projets, des ambitions, des rêves. Ils sont heureux. Et si ce n'était de l'inquiétude qu'il ressent quand il pense à Maxime, pour la toute première fois dans sa vie, Sébastien pourrait dire qu'il n'a plus peur de l'avenir. Il a enfin compris qu'il n'est plus une victime soumise aux revers du destin mais bien l'artisan des événements.

— J'ai compris qu'avec de la volonté, on peut faire bouger les choses.

Comme tous les jeudis soir, il est avec Gilbert pendant que Virginie travaille à la boutique. Les deux hommes se retrouvent toujours avec un même plaisir partagé. Le gros homme, fidèle à lui-même, l'attend chaque fois avec un gueuleton digne des grands chefs, son tablier fleuri posé de guingois sur sa panse volumineuse, sa voix susurrante, son sourire contagieux et cette affection sincère qui marque leur relation depuis près de deux ans maintenant.

— Je savais que tu finirais par t'en sortir, mon beau.

Sébastien a un sourire moqueur.

— Tu savais ça, toi? Ben t'étais le seul parce que moi, si je m'en souviens bien, je ne voyais pas grand-chose devant. Ni derrière, finalement. À part les taloches...

Pour un instant, Sébastien se laisse emporter vers ses souvenirs. Curieusement, chaque fois maintenant qu'il repense à son enfance, il lui semble que les images sont moins précises. Comme si elles étaient moins vraies.

— C'est drôle comme notre perception des choses peut changer au fil du temps, fait-il pensivement, sachant qu'avec Gilbert il n'a pas besoin d'élaborer ses pensées.

— C'est normal. C'est signe que tu vieillis, mon Sébas. Qui aurait pu dire que tu accepterais de voir ton père sans te jeter sur lui toutes griffes dehors?

Sébastien ébauche encore une fois un petit sourire.

— Ouf! Tu sais... On dit tellement de choses. C'est peut-être ce que j'aurais voulu faire, mais jamais je n'aurais osé. Je le détestais, oui, et j'avoue que je ne sais pas encore si j'ai envie de lui faire confiance, mais j'avais surtout peur de lui.

— Et maintenant ?

— Maintenant ?

Sébastien reste silencieux, le regard hermétique. Puis il hausse les épaules en levant la tête vers Gilbert.

— Je ne sais pas trop... C'est sûr que ce n'est pas la grande passion. C'est mon père, oui, et je découvre petit à petit un homme différent de celui qui a alimenté ma rage. Ça, c'est certain. Mais au-delà de ça...

De nouveau, Sébastien retourne à l'intérieur de lui-même pour quelques instants. En soupirant il ajoute :

— Je n'arrive pas à dire... Il me déconcerte. Oui, c'est un peu ça. Je ne sais plus quoi penser.

— Peut-être bien que tu en avais une perception tellement noire que de découvrir des nuances te surprend. Mais dis-toi bien qu'il n'y a personne de totalement noir ou de totalement blanc. On est tous faits de demi-tons. Ton père n'est pas différent des autres.

— C'est sûr. Mais ça n'explique toujours pas pourquoi il nous traitait aussi durement. Tu devrais le voir avec Alexandre, mon petit frère. Ce n'est pas le même homme.

S'emportant, Sébastien ajoute :

— Je n'ai toujours bien pas rêvé les insultes, les taloches, les punitions. Comme s'il avait voulu nous mater alors qu'avec Alexandre...

À ce moment, Sébastien surprend le regard de Gilbert qui l'observe à la dérobée. Le jeune homme se dépêche de dissiper le malentendu possible.

— Ne te méprends pas, Gilbert. Je ne suis pas jaloux d'Alexandre. Il est tellement chouette. Mais je l'envie. Et je ne comprends pas pourquoi mon père....

— À l'époque ton père buvait, l'interrompt alors le gros Gilbert.

— La belle excuse ! Non, Gilbert, pas avec moi. Je refuse de lui trouver des excuses. Rien ne peut justifier ce qu'il a fait.

— Alors pose-lui des questions. Dis-lui ce que tu ressens.

La colère de Sébastien retombe sur-le-champ, comme un

ballon qui se dégonfle d'un seul coup quand il vient se frotter aux épines d'une rose.

— Facile à dire... Quand je dis qu'il semble différent, faut quand même pas exagérer! Sur bien des points, Me Duhamel correspond encore au souvenir que j'en avais. Il est toujours aussi cinglant, arrogant. Et il réussit encore à me paralyser, inquiète-toi pas. Alors, pour ce qui est d'avoir une conversation avec lui...

— Ce n'est pas toi qui disais qu'il faut savoir faire bouger les choses?

Sébastien arbore un sourire moqueur.

— Oh toi! Tu l'as la manière de nous remettre à notre place. Oui, c'est ce que j'ai dit.

— Alors bouge, grands dieux! Ton père te bouffera pas tout cru. Vide la question une bonne fois pour toutes pis après tu décideras de ce que t'as envie de faire face à lui.

— Tu penses ça, toi, que je vais pouvoir décider quelque chose? Si Me Duhamel n'a pas le contrôle de la situation, rien ne va. Tiens! Prends juste pour Maxime. J'étais même prêt à repousser mes cours. Et, bien sincèrement, je pensais que ça y était: pour une fois, mon père et moi on était sur la même longueur d'ondes. Mais je m'étais trompé. On va partir le jour où lui va décider qu'il faut partir. Et pendant ce temps-là, mon frère est tout seul au bout du monde et, selon ce que mon père en dit, il n'en mène pas large. Qu'est-ce qu'il attend pour agir?

— Il n'y a que lui qui pourrait répondre à ça...

Et sur cette constatation navrante, mais criante de vérité, Gilbert se relève pour ajouter une bûche dans l'âtre. Il connaît suffisamment Sébastien pour savoir qu'il a besoin de digérer leur conversation avant de réagir. Du coin de l'œil, tout en tapotant ses chers coussins de soie jaune paille et en jouant avec quelques revues déjà en piles rectilignes, Gilbert observe le visage de Sébastien. Celui-ci finit par lever les yeux vers son ami.

— Je sais que tu as raison. Mais par quel bout commencer? Des fois, j'ai l'impression que je n'ai pas tellement changé. Je sais, je ne sais pas. Je veux pis j'ai peur en même temps.

— On ne change pas, Sébas. On évolue. Et c'est probablement bien mieux comme ça.

— Ouais... Mais disons que dans mon cas, l'évolution ne m'a pas fait avancer tellement plus loin qu'à la case départ. J'aimerais, oui, clarifier certaines choses avec mon père. Mais en même temps, j'ai l'intuition que ça va me faire mal. Alors j'hésite. C'est lui qui disait de moi quand j'étais petit que je ne savais jamais ce que je voulais. Peut-être bien qu'il avait raison. Après tout, je ne serai peut-être qu'un éternel insatisfait.

Mais au même moment, Sébastien entend la voix de son père qui lui disait, il y a de cela quelques semaines à peine, qu'il était fort: «Je te savais capable de t'en sortir tout seul.» C'est exactement cela que son père avait dit. Était-ce là la perception que son père avait réellement de lui ou n'était-ce que des paroles gonflées de vent? De celles que le brillant plaideur manipule à loisir? Accablé, Sébastien souffle dans ses joues avant de se retourner vers Gilbert.

— Je le répète: j'ai l'impression de me retrouver à la case départ et que je n'en sortirai jamais. Je n'ai pas envie de passer le reste de ma vie à surveiller le téléphone en espérant l'entendre sonner même si j'ai peur d'entendre la voix autoritaire à l'autre bout de la ligne.

— Il n'y a qu'une solution: provoque les choses, mon beau. Prends les devants. Invite ton père à manger quelque part. Rien de mieux qu'une bonne bouffe pour détendre l'atmosphère, propose le gourmand impénitent qui veille en permanence. Je ne sais pas... Je peux peut-être te passer mon appartement? Comme ça, tu serais en terrain neutre. Je pourrais même te préparer un bon petit souper et tu...

Déjà le gros Gilbert élabore le menu, tout heureux d'être utile à quelque chose.

— Ici?

Du regard, Sébastien fait le tour de la pièce, interrompant l'envolée du gros homme. Malgré le vent glacial qui souffle à la fenêtre, le salon rose et jaune réchauffe le cœur comme un jardin inondé de soleil chauffe la peau en plein été. Ici, c'est l'endroit au monde où Sébastien est le plus à son aise. Ici et en compagnie du gros homosexuel qu'il a connu pour une tout autre raison. C'était l'époque de la rue, l'époque des recherches à l'intérieur de soi, l'époque où, en échange d'un repas et d'un lit, Sébastien était prêt à bien des concessions. Mais la relation entre les deux hommes avait rapidement évolué et maintenant, c'est une solide amitié qui les unit. Alors, levant les yeux vers Gilbert, Sébastien ajoute :

— Non, Gilbert, pas ici. Parce que je ne serais pas en terrain neutre. Ici, vois-tu, c'est un peu chez moi. J'ai peut-être retrouvé celui que la vie m'a donné comme père mais celui qui vit ici, c'est le père que j'ai choisi. Et là-dessus, je n'ai surtout pas envie de donner d'explications. Ça m'appartient et jamais je ne le partagerai avec Me Duhamel. Mais tu as raison sur un point : j'ai envie de savoir et j'en ai assez d'attendre. Et toutes mes questions sans réponse, il n'y a que moi qui peux les poser si je veux une réponse…

* * *

La conversation avec Gilbert a ébranlé Sébastien. Après quelques jours de réflexion, le jeune homme doit admettre qu'il reste encore trop de choses dans l'ombre, trop d'hypothèses, de suppositions… À commencer par ce silence persistant concernant Maxime.

— Je dois lui parler, tranche-t-il à voix haute.

L'image de sa chambre d'enfant que personne n'a touchée pendant de si nombreuses années, malgré la naissance d'Alexandre, continue de l'intriguer. Comment un homme aussi détaché que son père peut-il accorder de l'importance à un détail aussi superficiel qu'une chambre ? Il aurait pu la donner à Alexandre au lieu de bouleverser son bureau ? Et d'ailleurs, où travaille-t-il maintenant quand il est à la maison ? À moins que ce soit Muriel qui ait imposé le changement. Cette femme semble différente de sa mère… Puis c'est la chambre de Maxime qui s'impose. Sombre, dépouillée, hormis cette immense affiche criant un désespoir sans fond.

Mais qu'est-ce que son père attend pour bouger ?

Incapable de supporter le poids de ses nombreuses questions sans réponse, Sébastien se décide enfin à prendre les devants. Comme le dit si bien Gilbert, Me Duhamel ne le « bouffera pas tout cru ».

Contre toute attente, son père semble ravi de l'avoir au bout de la ligne.

— Je pensais justement à toi.

Ah oui ? « Facile à dire ! Pourquoi ne pas avoir appelé ? », pense aussitôt Sébastien. Mais il retient sa curiosité. Ce serait bien mal entamer un dialogue que de provoquer son père. Par contre, il entend bien profiter de ce qui lui semble de la bonne humeur.

— Que dirais-tu d'un dîner ensemble ? Au restaurant.

Le jeune homme improvise, visualisant mentalement avec horreur le trou béant qu'un repas au restaurant va faire dans son maigre budget.

— D'accord. Mais c'est moi qui invite.

Soulagé, Sébastien accepte, et laisse à son père le soin de déterminer l'endroit. Puis il raccroche. Soulagé et anxieux à la fois. Voilà, les premiers pas sont faits. Que fera-t-il de ces instants en tête-à-tête ? Il l'ignore totalement. Il ne saurait dire s'il aura le courage d'aller jusqu'au bout. Revenir à son enfance demanderait une bonne dose de confiance qu'il est loin de ressentir envers son père. Mais parler de son enfance, c'est aussi revenir à sa mère et à son frère. Et de là part toute l'attitude qui a été la sienne pendant des années. Alors Sébastien se dit que c'est pour sa mère qu'il va tenter de savoir. Savoir pourquoi un bon matin elle a choisi de quitter le domicile familial sans laisser d'adresse. Pourquoi ? Peut-être bien qu'après tout son père saura répondre à cette question qui a obsédé son adolescence.

— Au pire, se dit-il à voix basse, pour la énième fois en retirant de la garde-robe les vêtements qu'il portait pour le réveillon, je parlerai de mes cours. Là au moins je me sens en terrain connu. Et je parlerai de Maxime. Ça au moins, c'est un point commun entre nous…

Il quitte l'appartement avec des papillons dans l'estomac,

sous l'œil inquiet de Virginie qui le regarde partir par la fenêtre. Elle sait à quel point cette rencontre est importante pour lui. Et si ça devait mal tourner, pour quelque raison que ce soit, Sébastien en reviendrait démoli. La jeune fille en est convaincue et n'ose imaginer ce qui pourrait en découler. Il reste en Sébastien une grande part d'ombre que seul son père pourrait dissiper. Si ce dernier n'y arrive pas, Sébastien est bien capable de tout laisser tomber de nouveau. Le jeune homme a peut-être commencé à changer, il est plus sûr de lui, mais présentement Virginie se demande si c'est vraiment profond ou si, au contraire, ce n'est qu'une façade friable échafaudée par la reconnaissance de son talent. Sur ce point, Sébastien fonce droit devant. Mais pour le reste…

Sébastien tenait à faire la route à pied jusqu'au restaurant choisi par son père. Comme si ce semblant de retour à l'itinérance pouvait amener en lui une part de désinvolture capable de tout régler. Capable de lui donner suffisamment de détachement pour oser aborder ce qui encombre sa vie depuis tant d'années. Sébastien a l'impression de marcher sur une corde raide sans filet protecteur. Quand il entre dans le restaurant, son père l'attend déjà et juste à le voir, Sébastien se sent tout tremblant.

— Salut, garçon. Heureux de te voir. Je te fais venir à boire ?

— Non… Merci. En fait, je bois rarement.

— Bonne chose.

Puis, au bout d'un silence songeur :

— Très bonne chose.

L'occasion de parler est là, à portée de bon vouloir. Encore plus facile que tous les scénarios élaborés par Sébastien depuis quelques jours. Mais les mots se refusent à lui. Tout comme lorsqu'il était enfant, il a la sensation désagréable de ne plus avoir de pensée. Dans sa tête, hormis les battements désordonnés de son cœur qui lui remplissent les oreilles, il n'y a rien d'autre. Comme un grand trou noir sans fond… Il doit faire un effort surhumain pour porter attention à ce que son père est en train de lui dire.

— …Alors tu veux un Virgin Mary ou pas ?

— Pardon ? Je m'excuse, mais j'étais dans la lune.

— Pas nouveau, ça.

Le ton de Me Duhamel est moqueur, un brin sarcastique. Sébastien soupire. Que croyait-il ? Que tout avait changé ? Il hausse les épaules.

— Non, là-dessus je n'ai pas changé, admet-il avec une pointe d'agressivité. Et après ?

— Pas de problème, Sébastien. Aujourd'hui, je peux très bien vivre avec ça. Alors ce *drink* ? Tu le veux ou pas ?

— Je prends.

Les quelques instants pris par le serveur à lui apporter son verre ont permis à Sébastien de constater que le courage lui manque toujours. Pourtant son père semble en grande forme. L'œil vif, le regard acéré détaille Sébastien sans rien perdre de ce qui se passe autour de lui. Sarcastique, hautain — comme il l'a toujours été —, ce qui ne l'empêchait pas d'être malgré tout de bonne humeur à l'occasion... Fataliste, Sébastien admet que ce ne sera pas suffisant. C'est pourquoi, après un long soupir et une bonne gorgée, il lance :

— J'ai commencé mes cours, tu sais.

— Ah oui ?

Et sur ce, Me Duhamel éclate de rire.

— Pourquoi jouer les surpris ? Comme si je ne le savais pas ! Et alors ? C'est comment ?

— C'est super ! Les profs sont pas mal forts. Il y en a même un qui est membre de l'Académie royale.

Sébastien est volubile, enthousiaste. Il parle techniques, tendances, écoles. Et son père lui donne la réplique sur un ton avisé. Surpris, Sébastien s'aperçoit que Me Duhamel en connaît un bout sur la peinture. Des impressionnistes à Picasso, il trace un portrait juste et éclairé sur les tendances du dernier siècle. Muriel se moquait vraiment lorsqu'elle a lancé qu'il lui faudrait l'éduquer en matière d'art...

Mais alors que Sébastien s'apprête à lui donner joyeusement la réplique, son père l'interrompt en plein envol.

— Suffit maintenant.

Sébastien fronce les sourcils.

— Mais que se…

— Assez parler peinture.

Puis, après un bref silence :

— Si on parlait de ce qui t'amène vraiment ici ? Qu'en dis-tu ?

— Ce qui m'amène… Pourquoi tu dis ça ?

— Parce que je sais que ce n'est pas uniquement pour me faire un discours comparatif sur l'art que tu m'as appelé. Je me trompe ?

Sébastien reste silencieux. Puis, osant un regard vers son père en rougissant, il demande :

— Comment peux-tu…

Me Duhamel hausse les épaules avec désinvolture.

— Parce que c'est mon job de deviner ce qui se cache derrière les beaux discours. J'ai vite compris que ton enthousiasme, sans être faux, était peut-être un peu forcé… J'ai raison ou pas ?

À ces mots, Sébastien rougit de plus belle. Mal à l'aise comme toujours de se savoir si prévisible. Pourtant, il concède :

— Tu as raison. Depuis Noël, je pense très souvent à Maxime. Qu'est-ce qu'on attend ? Il me semble que c'était clair au réveillon et que…

Me Duhamel l'interrompt de nouveau. D'un soupir très long et contrarié.

— Disparu, ton frère. Envolé. Dernière destination connue : Paris. Depuis, plus rien. Le détective que j'ai engagé compte sur ses contacts pour le retrouver. Mais Paris, ce n'est pas Montréal… Faudra être patient, je présume. Je m'excuse mais effectivement, j'aurais dû te prévenir. Mais tu sais ce que c'est…

— Ah bon ! laisse tomber Sébastien, visiblement déçu à la fois de savoir son frère disparu et de voir que son père n'a pas songé à le prévenir.

— C'est comme tu dis. Surtout qu'avec Maxime…

C'est au tour de Me Duhamel d'avoir l'air songeur, hésitant. Il regarde Sébastien intensément, ses sourcils broussailleux formant une forêt compacte au-dessus de son regard perçant. Le moment qu'il anticipe depuis tant d'années serait-il venu ? Sébastien est-il vraiment devenu l'homme équilibré qu'il laisse croire ? Serait-il, aujourd'hui, capable de connaître enfin la vérité ? Parce que parler de Maxime, c'est aussi parler de Brigitte, leur mère. Et le sujet est délicat… Pourtant, dans le regard de son fils, Me Duhamel croit deviner des milliers de questions sans réponses. Et ce regard-là est clair, direct, sain. Rien à voir avec Maxime qui, lui… Se fiant à son flair, il se décide d'un coup comme il le fait quand il rencontre un nouveau client. D'un regard il jauge la situation et l'individu et, se fiant à son intuition, il prend la décision de le défendre ou pas. Et jusqu'à maintenant, son intuition ne l'a jamais trompé. Alors, rompant le silence qui s'est glissé entre lui et Sébastien, il propose :

— J'aimerais te parler de Maxime. De Maxime et de ta mère.

Le ton est curieusement très doux. Un peu comme celui qu'il employait l'autre jour quand il s'adressait à Alexandre. Parce que pour Me Duhamel, aussi cinglant puisse-t-il être généralement, Sébastien est aussi son fils et, au fil des ans, il a compris bien des choses. Le jeune homme, intrigué, lève un regard interrogateur. Est-ce bien à lui que Me Duhamel veut parler ?

— Ce que j'ai à dire ne sera pas facile à entendre. Bien que… La vie est telle qu'elle est et parfois on n'y peut rien changer. Et quand on ne peut pas changer les choses, les regrets sont inutiles. C'est pour cela que l'autre jour, chez toi, j'ai dit que je ne te demanderais pas pardon. Je regrette peut-être la façon dont les choses se sont passées, l'alcool et le reste parce que ça, j'aurais pu avoir un contrôle dessus. Par contre, je ne regrette nullement les événements. Je n'y étais pour rien.

Après avoir fixé Sébastien un long moment, Me Duhamel ajoute :

— À voir l'homme que tu es devenu, j'oserais même dire qu'il n'y a rien à regretter. Je suis fier de toi.

C'est la première fois que Sébastien entend son père dire qu'il est fier de lui. Une grosse boule d'émotion lui bloque la gorge et il sent ses yeux devenir brillants pendant que son père, les coudes appuyés sur la table, regarde maintenant fixement devant lui. Alors Sébastien sait que Me Duhamel s'apprête à raconter. Le grand plaideur a toujours ce moment de recul, d'intériorité avant de se mettre à parler.

— Ça remonte à loin... J'avais à peu près ton âge. J'étais à l'université. C'est là que j'ai rencontré Brigitte. Une femme brillante, très jolie, qui suivait les mêmes cours que moi. Oui, ta mère était ce que j'appelle un esprit supérieur. Trop, peut-être...

Subjugué par les paroles de son père, par sa voix grave qui sait si bien mettre les émotions là où elles se doivent, Sébastien se cale sur sa chaise pour écouter. Me Duhamel parle bien. Quand il raconte un événement, une anecdote, l'avocat laisse le plaideur prendre toute la place. Et il plaide comme d'autres racontent des histoires, avec son cœur, avec son âme. Et présentement, l'avocat est conscient que ce sera probablement la plaidoirie la plus importante de sa vie: il plaide pour sa propre défense. Fasciné comme le sont tous les enfants devant le passé de leurs parents, Sébastien remonte dans le temps à la suite de son père. Il imagine aisément le petit appartement qu'Antoine et Brigitte habitaient au début de leur mariage, sur le plateau Mont-Royal, alors qu'ils venaient tous deux de terminer leurs études. Ils se préparaient l'un comme l'autre à une brillante carrière. Antoine jugeait que la rhétorique de Brigitte était assurément un peu échevelée, mais la jeune femme palliait ce défaut par un charisme indéniable qui faisait oublier un discours parfois décousu. Quant à lui, il s'était fait remarquer par une firme d'envergure qui l'avait rapidement engagé. Habile négociateur, en quelques années à peine il en était devenu un associé important. Selon leurs calculs, les problèmes financiers devaient normalement s'aplanir d'eux-mêmes assez rapidement. C'est là qu'ils avaient, Brigitte et lui, emménagé dans l'immense maison blanc et noir. Brigitte était enceinte de trois mois.

— C'est à ce moment que ta mère a changé. Ce que j'appelais des convictions profondes, des envolées oratoires passionnées malgré parfois le ton discordant, s'est transformé en comportements excessifs! Tout était prétexte à suspicion, à rejet: elle disait que ses collègues de bureau la critiquaient, elle était persuadée qu'on lui donnait toujours les procès perdus d'avance. Elle allait même jusqu'à prétendre que le marchand du coin de la rue la regardait bizarrement. Bien sûr, ce n'était que pure imagination ! Du jour au lendemain, elle a quitté son emploi. Elle justifiait cette décision par sa grossesse. Quoi de plus normal, n'est-ce pas ? Je n'y ai vu que du feu ! C'est à cette même époque que Brigitte s'était mise à développer des passions aussi envahissantes que subites ! Et moi, pauvre imbécile, je prenais plaisir à trouver une maison impeccable ! J'aurais dû me douter que ce n'était pas normal de frotter avec une telle frénésie. Mais j'étais encore au début de ma carrière, les charges financières étaient lourdes et notre bébé allait naître dans quelques semaines ! Je ne m'arrêtais pas à tous ces détails qui auraient dû, déjà à cette époque, me mettre la puce à l'oreille. Pourtant, c'est plutôt bizarre de partir une machine à laver pour une simple chemise et on n'a pas vraiment besoin de cirer un plancher de cuisine aux trois jours ! Je me disais qu'elle devait trouver les journées longues et qu'elle s'occupait comme elle le pouvait. C'est alors que tu es né. Jamais je n'ai vu ta mère pleurer autant ! Elle voulait une fille et voilà que son beau rêve venait de s'écrouler ! Les médecins avaient alors parlé de dépression *post-partum* et, encore une fois, je me suis laissé endormir par des belles paroles. On me disait que c'était fréquent et que tout allait rentrer dans l'ordre une fois de retour à la maison. Et c'est bien ce que j'ai cru. Ta mère a recommencé à frotter. Elle s'occupait bien de toi. Tout était donc revenu à la normale. Je travaillais comme un fou pour joindre les deux bouts parce qu'il semblait de plus en plus évident que ta mère ne reprendrait pas le boulot, et la maison, c'était avec un budget basé sur nos deux salaires qu'on l'avait achetée ! Et c'est aussi à ce moment-là que j'ai commencé à boire. Je palliais le manque de sommeil par un verre de boisson. L'alcool me fouettait les sangs et me permettait de passer au travers. Belle erreur, oui ! Mais à l'époque, je considérais que notre vie était on ne peut plus normale. Comme tous mes collègues, je roulais à un train d'enfer, mais c'était correct. Ma réputation d'excellent plaideur commençait à porter fruit. Je me suis mis à faire de l'argent, beaucoup d'argent et, comme bien des jeunes, j'y voyais là le signe évident d'une réussite sociale et familiale. Puis ta mère est devenue enceinte une seconde fois. Si tu savais à quel point j'ai souhaité que cette grossesse ramène les choses à la normale. Avec deux enfants sur les bras, je me disais que ta mère arrêterait enfin de frotter. Car c'était devenu une véritable obsession et ça commençait vraiment à m'inquiéter. Alors j'ai prié pour avoir une petite fille. Pour moi, il semblait évident que tout devait passer par là. Mais ton frère est né et la santé mentale de ta mère, déjà précaire, s'est détériorée de façon notoire. Son contact avec la réalité a périclité de plus en plus jusqu'à devenir un fil ténu. Et encore ! Ce fragile contact avec le monde ne concernait que les choses du quotidien qu'elle continuait de traiter avec frénésie. Les repas étaient prêts, le ménage était fait, le linge était impeccable, mais encore faut-il voir de quelle façon ta mère le faisait… Tu dois te rappeler combien elle était maniaque d'ordre et de propreté, non ?

— C'est vrai, se rappelle Sébastien dans un souffle.

— Et moi, poursuit Antoine Duhamel, j'avançais dans la vie en me croisant les doigts, toujours sur le qui-vive, incapable d'entrer en communication réelle avec ta mère. Il lui arrivait souvent, la nuit, de me tenir des discours complètement farfelus sur tous ces gens qui nous en voulaient. C'est pour ça que je ne voulais jamais de vous deux dans notre chambre. Je ne voulais pas que vous voyiez votre mère avec ce visage hagard… Elle vivait dans un monde à part où vous étiez les seuls à pouvoir entrer, Maxime et toi. Jusqu'au jour où de retour après le travail, je vous ai trouvés, tous les deux, habillés avec des robes. Ta mère venait de régler son problème. Elle était euphorique. Elle avait eu deux filles…

Pendant un instant Me Duhamel se tait. Puis il reprend, d'un ton las :

— Jamais, je crois, je n'ai fait de colère aussi grande que ce jour-là ! Oui, j'avoue que j'ai perdu le contrôle. Mais j'avais tellement peur pour vous deux. Peur des dommages que votre mère pouvait causer en vous traitant de la sorte. Tu devais avoir environ trois ans... Finalement, j'ai réussi à convaincre votre mère qu'elle était fatiguée, très fatiguée, ce qui n'était que vérité car avec les journées de fou qu'elle s'imposait à frotter et laver, elle avait atteint ses limites. Elle a accepté de consulter un médecin. Et le diagnostic est tombé rapidement : Brigitte était schizophrène et maniaco-dépressive. C'est comme si j'avais reçu un coup de massue derrière le crâne.

De nouveau Me Duhamel se retranche dans son silence pour un bref instant. Puis il lève son regard d'aigle vers son fils. Curieusement, Sébastien n'y voit qu'un reflet de l'autorité habituelle. Présentement, c'est le mot détermination qui lui monte à l'esprit. Détermination et courage...

— À partir de là, notre vie familiale a pris la tournure dont tu dois te souvenir. Ta mère a été mise sous médication, ce qui apportait un semblant de mieux au quotidien. Mais ça n'a jamais empêché les lubies, les accès de frénésie de toutes sortes. Et surtout, ça n'a jamais remis en question l'envie qu'elle avait d'avoir des filles. Et à partir de là, les choix qu'elle faisait pour vous deux étaient toujours biaisés. Vos cheveux longs, les couleurs pastel qu'elle s'entêtait à vous faire porter, les sports qu'elle bannissait systématiquement de vos vies. Tu ne pourras jamais imaginer à quel point tout cela me faisait peur, me rendait agressif. Chaque matin, quand je quittais la maison pour le travail, je partais à reculons. Je ne savais jamais à quoi m'attendre pour le retour. Quand tout s'était bien passé, je prenais un verre pour me détendre. Quand il y avait problème, je prenais un verre pour me donner le courage de l'affronter. Et quand j'avais bu, la peur se transformait en rage contre elle et contre la vie. Quand elle a quitté la maison, ça faisait quelque temps qu'elle avait décidé de ne plus prendre ses médicaments et je savais que quelque chose allait se passer. J'ignorais quoi et quand, mais son attitude redevenait celle d'avant et son monde n'avait rien à voir avec le nôtre. Finalement, son départ de la maison m'a soulagé. Ça aurait pu être pire que cela.

Sébastien a écouté sans interrompre, buvant les paroles de son père.

— Mais pourquoi n'avoir rien dit?

— Oh, tu sais... On veut toujours faire pour le mieux quand un orage traverse notre vie... Je pensais que vous étiez trop jeunes pour comprendre. Et, je l'avoue, la boisson faussait bien des données à cette époque-là. Mais comme la plupart des alcooliques, je refusais de l'admettre. La dégringolade était prévisible et c'est exactement ce qui s'est passé. Vous avez été placés, Maxime et toi. Et tu connais le reste...

— Et maman? Est-ce que...

— Ta mère? Je l'ai fait rechercher, tu dois bien t'en douter. La police l'a retrouvée errant dans les rues de la ville, complètement désemparée, perdue. Elle a été hospitalisée, mais jamais elle n'a repris contact avec la réalité. Elle est placée depuis ce temps-là. Je vais la voir une fois par mois mais elle ne me reconnaît pas. Elle vit dans son monde, passant ses journées à parler de ses filles à qui veut l'entendre. Heureusement, les médecins disent qu'elle n'est pas malheureuse. Elle traverse la vie sans même s'en rendre compte...

À travers les propos de son père, des milliers d'images ont submergé l'esprit de Sébastien. Des images, des souvenirs, des émotions appartenant à son passé mais le rejoignant au présent dans ce qu'il a de plus sensible. Beaucoup de choses se recoupent, s'assemblent, s'expliquent. Cela ne lui rendra jamais son enfance. Cette période de sa vie a été écorchée et le restera. Mais aujourd'hui, il peut comprendre pourquoi...

— Voilà, conclut le père de Sébastien en ouvrant les mains sur la table comme s'il lui présentait quelque chose.

Puis d'une voix rauque, chargée d'émotion, il reprend:

— Malheureusement, ces mains-là vous ont frappés, ton frère et toi. Et ça, oui, je le regrette. Mais à l'époque je croyais compenser aux mièvreries de votre mère par une attitude dure. C'était ridicule et aujourd'hui, je le reconnais. Et je te jure que jamais je ne lèverai la main sur Alexandre. Je sais maintenant que mon attitude envers vous était à sa façon aussi dommageable que celle de votre mère. Mais comme moi aussi j'avais été élevé à coup de taloches derrière la tête, je ne pensais pas que... Et voilà, Sébastien, tu sais tout... Presque tout.

— Presque tout?

— Oui... Ne reste que Maxime. À le voir aller les derniers temps où il habitait avec nous, je pense qu'il a les mêmes problèmes que votre mère. Amplifiés, je dirais, par une consommation régulière de drogues diverses. Le tableau est sombre.

— Alors pourquoi attendre?

— Tu me connais... Je n'irai pas perdre mon temps à Paris. Mais je te jure qu'à l'instant où Paul me fait signe, nous partons. Peu importe les procès en cours, je laisse tout tomber. Je trouverai bien... J'ai peut-être raté mon coup avec ta mère, en autant que j'aurais pu intervenir, je ne le saurai jamais, mais il n'est pas dit que je vais le rater avec mes enfants. J'ai fait des erreurs, c'est vrai, mais je crois qu'il est toujours temps de faire quelque chose pour Maxime. La vie m'a donné trois fils. Et vois-tu, la seule raison valable de continuer, c'est de tout faire pour les rendre heureux. Les aider à devenir des hommes capables de se prendre en main. Ça vaut pour toi, pour Maxime et pour Alexandre.

Et en disant ces derniers mots, les yeux d'Antoine Duhamel brillent de larmes contenues. Alors Sébastien tend la main et vient la poser sur celle de son père. Tout ce qu'il vient d'apprendre lui fait mal. Il en voudra toujours à cet homme d'avoir massacré son enfance. Sébastien en est cruellement conscient. Par contre, grâce à son expérience, il comprend en même temps qu'il peut lui faire confiance. Parce que malgré les apparences, malgré les mots blessants et les coups, Me Duhamel n'a jamais cessé d'aimer ses fils. Maladroitement, sincèrement... Un grand pas vient d'être franchi entre eux. Serrant durement la main de son père dans la sienne, Sébastien le regarde droit dans les yeux.

— Merci de m'avoir parlé comme tu viens de le faire. Et même si je n'accepte pas tout, je peux comprendre...

— Tant mieux. Et dis-toi bien que ce n'est pas pour implorer ton pardon que je l'ai fait. Simplement, je crois que tu avais droit à la vérité.

Et sur ce, considérant que ce qui avait à être dit l'a été, Me Duhamel retire sa main, regarde un moment autour de lui. Puis il lève le bras pour faire signe au serveur.

— Et si on mangeait maintenant? fait-il à l'intention de Sébastien. Je n'ai plus grand temps devant moi, je rencontre un client à Bordeaux à quatorze heures.

Et sa voix a retrouvé l'intonation habituelle. Froide et cassante.

Deuxième partie

Printemps-été 1997

Chapitre 5

« Par contre, ce que je connais, c'est la foi. Celle qui soulève les montagnes et rend heureux. Celle qui donne le pain quotidien et les mots à dire. Gardez la foi, Jérôme... En vous, en la vie. »

Paroles de Don Paulo à Jérome à l'automne 1984

Le printemps tarde à s'installer. Dans le parc du Carré Saint-Louis, les allées sont toujours encombrées de neige. Le fond de l'air est humide et froid. Le ciel reste gris, lourd et encore une fois, l'annonceur télé prédit une chute de neige fondante pour la nuit prochaine.

— Ouache !

Bien que consciente de vivre enfermée dans l'appartement depuis plus de trois mois par choix délibéré, Marie-Hélène n'en reste pas moins fatiguée de cet état de fait. Si le temps pouvait enfin tourner au beau, elle pourrait se permettre de sortir un peu avec Laurence. Malheureusement il n'en est rien. L'hiver dure et perdure et jamais elle n'acceptera de promener sa fille à l'extérieur par un temps pareil. Depuis les Fêtes, son attitude envers François s'est bonifiée mais, en ce qui concerne Laurence, elle est inflexible. Sous aucune considération elle n'exposera sa fille au moindre risque tant et aussi longtemps que son bébé n'aura pas passé le second test sanguin prévu pour la semaine prochaine. Même si le docteur Langevin, le pédiatre qui suit mademoiselle Léveillé depuis sa naissance, essaie de convaincre sa maman d'avoir une vie normale.

— Je parierais ma dernière chemise que cette enfant-là est en parfaite santé, répète-t-il chaque mois lors de leur visite à son bureau. Mais de toute façon, quels que soient les résultats obtenus, il va falloir que vous acceptiez de lui donner une vie normale ! Et ce n'est pas une petite promenade dehors qui va mettre sa vie en danger, que diable !

Marie-Hélène ne veut rien entendre. Et, ayant compris qu'il

ne servait à rien de la contredire, François prend la situation avec un grain de sel. S'il n'en tient qu'à cela pour voir sa femme sereine et épanouie, il gardera leur fille à l'abri des présences étrangères le temps que Marie-Hélène le jugera à propos.

— Pas de voyage à Québec. Et pas de visite chez nous.

À ces mots, François l'avait regardée de travers.

— Es-tu sérieuse en disant ça ? Tu sais aussi bien que moi que pour ce qui est de la visite éventuelle, on n'a pas d'inquiétude à avoir, Marie. Aurais-tu oublié à quel point les gens de Québec trouvent que Montréal, c'est l'autre bout du monde ? Hein ? C'est normal que nous, nous y allions mais l'inverse... Quand est-ce que ta famille ou la mienne s'est déplacée pour nous voir, hein ?

— C'est vrai. Mais disons que pour une fois, c'est parfait comme ça !

Et comme il neige sans arrêt, François non plus n'a pas envie de prendre la route.

L'hiver leur a donc servi de prétexte à rester bien confortablement chez eux, malgré les appels répétés des grands-mères qui se languissent de voir Laurence. François admet, en son for intérieur, que cela sert à merveille la crainte qui l'habite quand il pense à ses parents. Il ne leur a toujours pas parlé. L'intention est là, mais pour ce qui est de passer à l'action, il y a un monde de la coupe aux lèvres. Et le fait que son père le questionne habituellement sur son travail constitue une raison supplémentaire pour être heureux de rester à Montréal. Il aurait en effet de la difficulté à mettre l'enthousiasme habituel pour en parler. Il n'a pas oublié les propos du Docteur Samuel lui conseillant de changer d'emploi, lui recommandant de se trouver quelque chose de moins fatigant où il y aurait moins de risques d'être en contact avec la maladie, les virus. Oui, François sait fort bien qu'il devra quitter la rue et chaque fois qu'il y repense, son cœur se serre. Se promener à la grandeur du centre-ville, aider les jeunes en difficulté, c'est toute sa vie. Comment imaginer que le cours des jours pourrait changer ? Il a bien préparé son curriculum vitæ. Il en a fait une pile impressionnante de copies puis les a déposées sur le coin arrière de sa commode. Deux semaines plus tard, agacé de les voir s'empoussiérer, il les a cachées sous ses bas, dans un tiroir. « Plus tard, on y verra plus tard... » Puis il s'est dépêché de les oublier. Par chance, bébé Laurence prend beaucoup de place dans sa vie. Une place aujourd'hui remplie de ses sourires, de ses gazouillis. À n'en pas douter, c'est un bébé parfait ! Sur ce point, François et Marie-Hélène sont comme tous les parents du monde. Aucun autre enfant n'arrive à la cheville de Laurence.

— Regarde François ! Tu ne trouves pas qu'elle est encore petite pour essayer de se tourner toute seule ? Vraiment, c'est un bébé éveillé...

— Et sage ! Et jolie !

* * *

Avril est là et c'est toujours l'hiver. Mais François et Marie-Hélène ne s'en plaignent pas. Laurence a apporté avec elle une provision de soleil suffisante pour éclairer les mois à venir.

La date fatidique est arrivée. Cet après-midi, on doit faire une prise de sang à Laurence. Et dans quelques jours ils en auront le cœur net... Assise dans la salle d'attente du bureau du docteur Langevin, Marie-Hélène tient sa petite tout contre elle. Elle sent la chaleur de François contre son épaule et celle de son enfant contre sa poitrine. Ils ne parlent pas, mais ils savent très bien que leurs pensées se rejoignent. Il y a un an, ils apprenaient la présence d'un enfant dans leur vie. Depuis un an, ils attendent l'instant qu'ils sont en train de vivre, espérant qu'ils ont fait le bon choix. « Mais à cela, il n'y aura finalement que Laurence qui pourra vraiment répondre, se dit Marie-Hélène, l'estomac noué. Un jour peut-être, quand elle sera assez vieille... » Sa réflexion ne déborde jamais de cette limite qu'elle s'est inconsciemment imposée. Son esprit refuse d'aller au-delà, se refuse à imaginer cet avenir lointain que Laurence n'aura peut-être pas la chance de connaître. Si Marie-Hélène veut survivre, il lui faut, pour l'instant, vivre au jour le jour dans un monde prévisible.

Elle sursaute quand on les appelle pour pénétrer dans la salle d'examen.

Laurence n'a même pas bronché alors que l'infirmière la piquait. Curieuse de nature, elle observait le mur au-dessus de la table d'examen, et les poupées accrochées à portée de main étaient beaucoup plus intéressantes que la dame en blanc qui s'occupait d'elle.

— Et voilà, c'est fait. Vous avez une bien jolie petite fille. Et curieuse, à part ça.

François et Marie-Hélène échangent un regard. En effet, elle est très jolie, et curieuse et tout ce que l'on voudra! Puis ils repartent pour la maison après avoir rencontré le pédiatre qui n'a rien à ajouter.

— Comme d'habitude, Laurence se porte à merveille. Bonne croissance, développement normal. Les poumons, le cœur, tout marche au quart de tour! Dès que je reçois les résultats, on communique avec vous. Probablement ma secrétaire pour fixer un rendez-vous. Des questions?

— Pas vraiment... À part le fait qu'elle soit toujours affamée... C'est normal?

Le médecin éclate de rire.

— Ces chers parents d'un premier bébé! Oui, c'est normal chez un individu en bonne santé de ressentir la faim au moins trois fois par jour!

Puis, portant les yeux sur le dossier du bébé, il ajoute:

— Presque quatre mois... Vous pouvez commencer à lui donner des céréales si vous jugez que le lait ne suffit plus.

— Déjà?

— Eh oui! Laurence ne restera pas dépendante d'un biberon toute sa vie!

Ils décident donc de faire un arrêt à l'épicerie avant de retourner à la maison.

— Et si nous allions à l'épicerie ensemble?, murmure Marie-Hélène, surprise par ses propres paroles, alors que François vient de garer la voiture.

Elle lève la tête vers François, espérant peut-être qu'il prenne la décision, ne comprenant nullement d'où lui est venue cette réflexion, elle qui normalement préfère garder sa fille à l'écart de tout contact avec ce qu'elle appelle le monde extérieur. « Comme une vieille sœur cloîtrée » lui avait dit François en riant alors qu'il proposait une promenade aussitôt déclinée par Marie-Hélène. Et voilà qu'en ce moment, la proposition inattendue de sa femme rejoint justement ses propres pensées.

— C'est drôle, j'allais justement te le proposer... On dirait que maintenant que la prise de sang est faite, une page vient d'être tournée. J'ai l'impression qu'une partie de ma vie se retire dans l'ombre derrière moi. Pourtant, on n'a pas les résultats...

Pendant une brève seconde Marie-Hélène soutient le regard de François. Puis elle reporte les yeux sur Laurence qui, le nez en l'air, essaie de voir ce qui se passe de l'autre côté de la vitre teintée de l'auto.

— En effet, murmure-t-elle, c'est tout à fait ridicule, mais j'ai la même impression que toi.

Au bout d'un silence très bref, Marie-Hélène ajoute, songeuse :

— De toutes façons, quels que soient les résultats, il va falloir qu'on s'y ajuste, n'est-ce pas ? On ne la gardera pas enfermée toute sa vie...

François comprend à ces mots, surprenants venant de la part de Marie-Hélène, qu'à sa façon, petit à petit, la jeune mère se prépare. À être heureuse ou à être forte...

Alors, tous les trois, Laurence bien calée dans le creux des bras de son papa, ils sont entrés dans l'épicerie. Geste banal s'il en est un, mais pour Marie-Hélène, c'est la normalité de la vie qui la rejoint enfin. Poussant un long soupir tremblant, elle s'accroche au bras de François et ajuste son pas au sien, le cœur battant très fort.

Il arrive parfois dans la vie que des riens portent en eux l'expression d'un bonheur immense et qu'ils restent gravés en nous à jamais.

Par contre, les quelques jours à vivre dans l'attente des résultats leur semblent interminables.

— Ça me fait penser au dernier temps de ma grossesse. Les journées sont tellement longues, François. Et le pire, c'est qu'on ne peut rien faire pour accélérer les choses.

La seule à ne pas s'en faire, c'est la principale intéressée. La découverte des céréales la remplit d'aise et le mobile accroché au-dessus de son lit occupe les moments d'éveil de bébé Laurence qui juge que la vie est une chose plutôt intéressante.

Mais, de son côté, la maman a beau l'attendre, l'espérer et l'anticiper en même temps, la sonnerie du téléphone, cinq jours plus tard, lui fait débattre le cœur. Par instinct, elle sait que c'est l'appel tant attendu. Mais au même moment, elle se raisonne : ce n'est probablement que la secrétaire fixant le rendez-vous. Pas de quoi se mettre à trembler comme une feuille. Malgré cela, sa main est légèrement hésitante quand elle prend le combiné.

— Madame Léveillé, docteur Langevin.

Marie-Hélène fronce les sourcils. Comment cela se fait-il que ce soit le médecin lui-même qui appelle ?

— Madame Léveillé ?

Marie-Hélène secoue la tête.

— Oui, pardon docteur, je suis là. Mais comment se fait-il que…

— Que ce soit moi qui vous appelle, demande le médecin comme en devinant les pensées de Marie-Hélène. C'est juste que je ne voulais pas vous faire languir plus longtemps. Je viens de recevoir les résultats et je considère qu'une bonne nouvelle peut très bien s'annoncer au téléphone. Vous ne croyez pas ?

À nouveau, Marie-Hélène reste sans voix. Le soulagement est subit, total. Il est tellement grand qu'il forme une grosse boule d'émotion qui l'empêche de parler. Elle doit s'asseoir tant ses jambes sont molles et instables.

— Une bonne nouvelle, parvient-elle enfin à articuler. Vous voulez dire que…

— Les résultats sont négatifs. Laurence n'a rien. Vous pourrez dorénavant la promener aussi souvent que vous le voulez.

— Vous êtes bien certain ?

— Tout à fait. Votre petite fille est débordante de santé.

— Merci, Docteur.

Le médecin égrène un petit rire joyeux.

— Je n'y suis pour rien, vous savez.

— Qu'importe… J'ai l'impression que Laurence vient au monde une seconde fois. Et que cette fois-ci est la bonne. Alors j'ai envie de dire merci. C'est tout.

Marie-Hélène rit et pleure en même temps.

— Merci. Mille fois merci.

Pendant un moment, on n'entend que les reniflements de Marie-Hélène. Puis la voix du docteur Langevin se fait grave alors qu'il prononce :

— Ce n'est pas moi que vous devriez remercier, madame Léveillé. C'est le bon Dieu. À mes yeux, bébé Laurence est ce que j'appelle un bébé miracle. Même si on a tout fait pour aider le miracle, il y en a un qui a eu son mot à dire dans tout ça.

Après un autre rire, empreint de douceur cette fois-ci, il ajoute :

— De toute façon, je vais Lui transmettre le message, ne vous inquiétez pas. Il arrive à l'occasion que j'aie besoin de Lui parler. Maintenant, je vais vous passer ma secrétaire pour prendre rendez-vous. Mademoiselle Laurence va devoir commencer son programme de vaccins. On se revoit donc bientôt.

Quand Marie-Hélène raccroche, son visage est inondé de larmes, mais un large sourire reste figé en permanence.

— Oui, murmure-t-elle, le docteur a raison… Merci, mon Dieu. Merci, merci, merci…

Et aussitôt elle se précipite vers la chambre de Laurence qui fait la sieste. Incapable de résister, Marie-Hélène se penche et la soulève pour la prendre dans ses bras. Tant pis pour le dodo, il lui faut sentir la chaleur de son bébé. Exactement comme au moment de sa naissance, Marie-Hélène doit regarder sa fille, se gaver de l'image de ce petit visage qui a pris tant d'importance dans sa vie. De grosses larmes de bonheur coulent sans retenue sur ses joues, glissent sur son menton pour venir s'écraser sur le petit pyjama rose, imprimé d'oursons turquoise. Mais alors qu'elle vient tout juste de s'asseoir dans la chaise berçante pour savourer l'intensité d'un des plus beaux instants de sa vie, elle bondit sur ses pieds comme un pantin à ressort hors de sa boîte.

— François, murmure-t-elle. Je dois appeler François.

Serrant Laurence contre son cœur, elle lui dit:

— Viens, ma puce. On va appeler papa. Mon petit doigt me dit qu'il ne sera pas du tout fâché d'être dérangé à son travail. Je crois même qu'il va être très très content de notre appel...

* * *

Cette fois-ci, François n'a eu aucune difficulté à convaincre Marie-Hélène de partir pour la capitale. Ils étaient à table devant un repas de fête pour souligner l'événement.

— Un petit arrêt en Beauce pour annoncer la bonne nouvelle à mamie Cécile et Jérôme puis on file chez mes parents.

À ces mots, son regard s'était assombri.

— J'ai décidé de tout leur dire. Ils ont droit à des explications. Ils ont droit à la vérité.

C'est à peine si Marie-Hélène avait pris le temps d'avaler sa bouchée.

— Comme ça?

— Comment veux-tu que je m'y prenne? Il n'y a pas de bonnes ou de mauvaises façons pour annoncer les mauvaises nouvelles. Je crois que l'occasion s'y prête bien. D'une part, un coup de massue mais de l'autre, une raison d'être heureux.

François s'était tu brusquement. Puis, levant la tête vers leur fille, bien installée dans sa petite chaise au bout de la table et très occupée à examiner ses doigts, il avait ajouté, une forte émotion faisant trembler sa voix:

— Si un jour Laurence traverse des moments difficiles, Marie, j'espère qu'elle aura suffisamment confiance en moi pour m'en parler. Je serai toujours là pour elle. Alors pourquoi agir différemment face à mes parents? Ce ne sera pas facile, je le sais. Mais je dois le faire.

— D'accord, avait accepté Marie-Hélène, songeuse. Mais moi, vois-tu, je préfère attendre. Je... Disons que je ne suis pas prête. Mes parents apprendront bien assez vite que leur fille...

Elle n'avait pas terminé. Son silence était éloquent. Alors François non plus n'avait rien dit. C'était son choix, et François n'avait rien à ajouter...

Ils ont décidé de partir de bon matin. Laurence, bien éveillée, cette fois-ci, regarde avec un vif intérêt la cime des arbres et des poteaux qui défilent derrière la vitre. François est taciturne, l'esprit tout entier tourné vers les mots qu'il s'est promis de dire. Sa décision est prise et elle est irrévocable. Mais il ne sait toujours pas comment il va s'y prendre. L'arrêt chez Cécile et Jérôme est un grand éclat de rire et fait reculer dans l'ombre l'anxiété grandissante de François.

— Je le savais! Je le savais donc, n'arrête pas de répéter Jérôme, le regard tout brillant. Si vous saviez combien j'ai prié et espéré.

Et sans demander l'avis de personne, il débouche une bonne bouteille.

— Mais as-tu vu l'heure? Du vin à dix heures le matin. Voyons Jérôme!

— Un vieux travers français, s'excuse-t-il en rougissant.

Puis, penaud, il demande:

— Tu ne trouves pas que l'occasion est valable, Cécile?

Celle-ci éclate de rire.

— Oh oui! Allons-y donc pour un p'tit ballon de rouge!

Les yeux brillent et les voix sont joyeuses. Bien installée au creux des bras de son arrière-grand-mère, Laurence examine la scène en fronçant les sourcils. Curieusement, Marie-Hélène ne ressent plus ce besoin maladif de garder sa fille dans ses bras. Si elle a eu l'impression d'assister à une seconde naissance de Laurence, elle aussi a eu droit à une renaissance. Elle ne se reconnaît plus.

— Et si tu veux, dit alors Cécile en regardant François, Denis pourrait s'occuper de Laurence. Il est attaché à l'hôpital pour enfants, tu sais. Tu te souviens de Denis, n'est-ce pas?

François avait eu un bref sourire, la mention de ce nom le ramenant directement au cœur de cette visite à Québec. Denis, fils adoptif de Cécile, est pédiatre et c'est lui qui avait accompagné François quand ce dernier avait décidé de se prendre en main à l'adolescence.

— Comment oublier Denis ? Je me rappelle très bien tout ce qu'il a fait pour moi dans le temps. C'est un excellent médecin, pas de doute.

Puis tournant la tête vers Marie-Hélène, et sachant fort bien qu'aucune décision concernant leur fille ne se prendra sans son accord, il ajoute :

— On verra. Mais promis, on va en discuter, Marie et moi...

Peu après, François et Marie-Hélène reprennent la route. Et la nervosité de François croît à chaque tour de roue qui le rapproche de Québec...

Ils sont assis au salon. Comme toujours, le souper était bon, copieux et selon son habitude, André, le père de François, a tenu à servir des petits verres de digestif. Alors ils se sont installés confortablement au salon pour le siroter. Dehors, malgré la présence de monticules de neige encore hauts, le jour persiste, rappelant que malgré les apparences, le printemps est là. Le feu crépite, Laurence gazouille dans les bras de sa grand-mère. C'est en remarquant tout à coup que, curieusement, ses parents ne sont pas allés en Floride cette année que François se décide. Se pourrait-il que... Plongeant son regard dans celui de Marie-Hélène pour y puiser le courage dont il a besoin, impulsivement, il entremêle ses doigts aux siens et les serre très fort.

— Papa, maman, il faut que je vous parle...

Alors Dominique lève la tête vers lui. Elle s'y attendait. Depuis Noël, son instinct lui disait qu'il y avait quelque chose d'anormal dans l'attitude de Marie-Hélène. Resserrant doucement les bras autour du petit corps tout chaud de Laurence, elle pose le regard sur ce fils qui l'a parfois bien malmenée, mais qu'elle aime de chaque fibre de son être. François, tout comme Frédérik et Geneviève, ses deux autres enfants, resteront toujours d'une certaine façon ses tout-petits...

François a tout dit sans rien omettre. Sa peur, son refus d'accepter, l'aide apportée par Gilbert, sa hantise pour le bébé à naître, leur indécision face à cette grossesse, le médecin, les médicaments, l'attente interminable du verdict final… Il termine en annonçant la bonne nouvelle : Laurence est en parfaite santé.

Pendant un long moment, seul le bruit des flammes occupe le salon. Puis André lève la tête vers son fils, soutient son regard.

— Tu pourras toujours compter sur nous, François. Je…

Il s'interrompt, respire bruyamment comme s'il voulait reprendre le contrôle puis il ajoute, la voix enrouée :

— Ça fait mal, tu sais… Je… je t'aime… C'est parce que je t'aime que ça fait mal, fiston.

Deux larmes glissent sur ses joues.

— Mais on est là. N'est-ce pas, Dominique, qu'on est là ?

Cette dernière sursaute. Elle n'a rien dit parce qu'elle ne trouve rien à dire. Depuis que François a parlé, elle n'arrive pas à donner un peu de cohérence à ses pensées. La révélation de son fils l'a assommée, la ramenant très loin dans le temps à cette époque de l'adolescence de François où elle croyait que jamais elle ne pourrait avoir plus mal. Elle s'était trompée. Présentement, son cœur bat à tout rompre et chaque battement lui est douloureux. Dominique n'arrive plus à comprendre ce qu'elle ressent réellement.

— C'est certain, ça, qu'on est là, fait-elle pensive.

Sa voix est retenue, à peine audible. François aurait envie de dire qu'elle est réticente. Pendant un moment il regarde sa mère, espérant croiser son regard. Mais celle-ci s'entête à fixer les flammes. Alors, déçu, il reporte les yeux sur son père qui le dévisage intensément. Longuement les deux hommes se regardent. Jusqu'au fond de l'âme. Puis André sourit.

— Une fois n'est pas coutume, lance-t-il en se relevant. Que diriez-vous d'une autre tournée pour célébrer la venue de cette jolie demoiselle ? Il me semble qu'on n'a jamais fêté dignement la naissance de cette belle enfant. Alors, ce soir, on va lever nos verres en son honneur. D'accord, François ?

De nouveau, François et André se regardent intensément. Puis François lui rend son sourire.

— D'accord, papa. Ce soir, c'est la fête de Laurence !

À la réaction de son père, François sait que ce dernier accepte sa condition sans compromis. Il comprend surtout que son père est comme lui : d'abord et avant tout, et depuis longtemps, André a décidé de choisir la vie. Telle qu'elle se présente...

* * *

Dominique ne dort plus, mange à peine, sursaute quand on l'interpelle. Elle est tout à fait consciente qu'elle a vivement tressailli au moment où la main de Marie-Hélène a frôlé la sienne quand elle reprenait Laurence, l'autre soir. Et elle s'en veut. Terriblement. Mais elle n'y peut rien. Elle a toujours eu peur de cette maladie et sa réaction était tout à fait incontrôlable. Savoir que son fils et sa belle-fille en sont porteurs crée en elle une ambivalence qui la bouleverse.

— Maladie maudite, lâche-t-elle pensive alors qu'elle est à table avec André.

Ce dernier glisse les yeux au-dessus du journal déployé devant lui.

— Oui, peut-être, approuve-t-il en sachant très bien à quoi Dominique fait allusion. Mais pour l'instant, ils ne sont que porteurs. Et comme François nous l'a dit...

Et André de reprendre les explications de son fils depuis le début concernant l'évolution du virus.

— Rien ne peut prédire si oui ou non, Marie-Hélène et lui vont développer la maladie. Pour l'instant, tout est sous contrôle. Quant à Laurence, elle n'a rien. Dieu soit loué !

Mais Dominique est sceptique.

— Oui, c'est ce qu'il a dit. Mais n'empêche que...

— N'empêche que quoi ?, s'emporte André, devinant ce qui préoccupe le plus sa femme. N'empêche que tu vas les éviter ? N'empêche que Laurence est subitement moins intéressante ?

Il a posé vivement le journal sur la table et dévisage sévèrement Dominique. Mal à l'aise, celle-ci se dérobe à son regard en se levant pour venir porter sa tasse dans l'évier.

— Ce n'est pas ce que j'ai dit.

— Non, pas aussi clairement. Mais ta réaction laisse supposer…

— Qu'est-ce qu'elle a ma réaction ? Je n'ai pas le droit d'être ce que je suis, André ? Pas le droit d'avoir peur ?

— Non, tu n'as pas le droit d'avoir peur. François est notre fils. L'enfant que nous avons mis au monde et qu'on a juré d'aimer.

À ces mots, Dominique s'est retournée vers son mari, toute tremblante, les yeux inondés de larmes.

— T'es injuste, André. Penses-tu vraiment que je peux oublier que François est mon fils ? Dis-toi bien que depuis l'autre soir, chaque fois que je pense à lui, j'ai l'impression que c'est un morceau de moi qui est malade. Je… Chaque fois qu'un de nos enfants a un problème, c'est comme s'il redevenait le bébé que j'ai mis au monde. Et rien d'autre, tu m'entends, rien d'autre n'a d'importance. En ce moment, François est mon petit garçon. Exactement comme lorsqu'il se faisait mal, enfant, ou quand il a eu des problèmes à l'adolescence.

Puis elle craque.

— Je voudrais tellement le prendre dans mes bras. Mais j'ai peur, André. J'ai tellement peur…

— Alors tu vas devoir surmonter cette peur. Tu…

Dominique ne l'écoute plus. Comprenant que, pour l'instant, ce n'est que dialogue de sourds entre eux, elle se précipite hors de la cuisine. Elle déteste les discussions, elle déteste avoir à mettre ses idées en ordre rapidement quand elle est émue.

— Voyons, Dominique, attends. Je…

Mais Dominique n'a pas envie d'attendre. Attrapant son manteau elle ouvre la porte et sort sur le perron. L'air est agréablement doux, contrairement à ce qu'elle anticipait. Le printemps se décide enfin à prendre la place qui lui est due. Tout en respirant à fond, elle remonte l'allée et, arrivée au trottoir, tourne impulsivement à gauche. Brusquement, il lui faut entendre la voix chaude de son père. René Lamontagne est le seul être sur terre en qui elle a une confiance absolue et pour l'instant, c'est de lui qu'elle a besoin…

— Dominique ! Quel bon vent t'amène de si bonne heure ?

Il était à la cuisine à faire son déjeuner. Revenu seul de Floride depuis une semaine puisque Thérèse, sa femme, a décidé de prolonger leur habituel séjour annuel de quelques semaines, l'hiver semblant vouloir s'installer à demeure au Québec, il savoure égoïstement ces quelques jours qui lui appartiennent sans compromis. Voyant le visage tourmenté de sa fille, il fronce les sourcils.

— Toi, il y a quelque chose qui ne tourne pas rond... Les enfants ?

Dans la vie de Dominique, il n'y a eu que les enfants pour lui donner cette mine sombre. Sinon, elle est plutôt femme à prendre les choses avec un grain de sel. Mais quand il s'agit de ses trois mousses comme elle les appelle encore parfois...

— Viens t'asseoir. Tu veux des œufs ?

— Non. Merci. Je... J'ai déjà mangé.

Puis elle éclate en sanglots.

— Papa, si tu savais...

Alors elle lui dit tout. Même si le secret entourant la santé de François ne lui appartient pas vraiment, face à cet homme qui l'a toujours soutenue, Dominique ne ressent pas l'obligation de se taire. Elle répète les propos de François, parle de Laurence qui, heureusement, n'a pas été infectée, s'arrête longuement sur sa peur face à eux, face à l'avenir et sur la réaction d'André qui semble ne pas comprendre cette peur.

— Pauvres enfants, murmure René au moment où Dominique se tait enfin, reniflant ses dernières larmes. Il me semble que François et Marie-Hélène auraient mérité mieux que ça... Par chance, la petite Laurence n'a rien.

Puis, levant la tête, il regarde longuement Dominique.

— Et toi, tu ne sais plus où tu en es, n'est-ce pas ? Je peux comprendre.

Nulle accusation, aucun reproche dans la voix grave de son père.

— C'est sûrement très difficile d'apprendre que notre enfant est... Alors, que comptes-tu faire, Dominique ?

— Je ne sais pas. Tout ce que je sais, c'est qu'il faut que je réagisse d'une façon ou d'une autre. J'ai bien senti l'autre jour que François s'attendait à une réaction quelconque. Et il avait raison. Mais je n'ai rien dit, rien fait. Sinon avoir un geste de recul quand Marie-Hélène a repris le bébé. Et je m'en veux... Mais que pourrais-je lui dire?

— Que tu l'aimes. Tout simplement.

— C'est sûr...

Dominique reste songeuse.

— Mais ça, il le sait déjà.

— Et alors? Il arrive parfois, ma grande, que l'on oublie des vérités aussi évidentes que celle-là. Et puis, tu ne trouves pas que ça fait du bien de se le faire répéter? Même si on le sait, même si parfois ces quelques mots sont galvaudés. Pas besoin de chercher la grande phrase et pas besoin de jouer les héros. Personne ne te le demande, Dominique.

— Tu crois? Pourtant... Si tu savais comment je me sens... J'ai peur et en même temps je me sens responsable de ce qui lui arrive! Si on avait été plus vigilants quand il était jeune, si au lieu de lui faire confiance on avait pris les devants et imposé les choses, peut-être bien qu'on n'en serait pas là aujourd'hui. Peut-être qu'il n'aurait pas cette maudite maladie, peut-être que sa vie serait plus...

— Dominique, Dominique... Ça fait bien des peut-être, tu ne trouves pas? Et devant l'homme que François est devenu, tu n'as surtout pas à te culpabiliser. Si vous aviez employé la méthode forte, comme tu le dis si bien, je ne suis pas certain que votre fils...

Pendant un moment, René Lamontagne reste silencieux, revoyant en pensée les années difficiles que François avait traversées, remorquant dans son sillage, bien malgré lui, tous ceux qui l'aimaient. Puis il reprend, avec une bonne chaleur dans la voix.

— François est un homme maintenant et c'est à lui de voir à sa vie. Et grâce à tout ce que vous lui avez donné, il est capable de le faire. N'aie crainte à ce sujet. Par contre, on a toujours besoin de sentir la présence de ceux qu'on aime. Surtout dans les moments difficiles. Et c'est là que vous pouvez intervenir, André et toi. Mais vous n'avez pas besoin d'aller plus loin.

Pendant un long moment, Dominique reste silencieuse. Respectant ce silence, René Lamontagne se relève et va au comptoir pour servir deux cafés. Puis, tout doucement, il dépose la tasse fumante devant sa fille.

— Tiens, prends ça. Un breuvage chaud, ça fait du bien quand on a le cœur lourd.

Et, reprenant sa place, il en avale lui-même une longue gorgée avant d'ajouter :

— Qu'est-ce que tu dirais d'une semaine de vacances ? C'est moi qui l'offre ! Va rejoindre ta mère.

— Pour quoi faire ?

— Pour te mettre les idées en place ! Je te connais comme si je t'avais tricotée, jeune fille, et je sais que tu en as besoin.

À ces mots, Dominique trace un petit sourire.

— C'est vrai que ça me ferait du bien de m'éloigner un peu pour quelques jours. M'éloigner d'André qui ne veut rien comprendre et prendre un peu de recul face à la situation. Comment fais-tu pour lire en moi comme ça ?

— C'est parce que tu es ma fille, c'est aussi simple que ça.

Spontanément, la main de Dominique vient se poser sur celle de son père adoptif. Une main ridée, aujourd'hui saupoudrée de taches brunes à cause de l'âge. Émue, elle constate à quel point son père a vieilli. Pourtant, il porte toujours aussi fièrement ses longs six pieds et son regard conserve toute sa vivacité et sa bienveillance naturelle.

— Oui, je suis ta fille, murmure-t-elle alors. Et ça, vois-tu, je ne l'ai jamais remis en question. Même quand j'ai retrouvé Jérôme et que j'ai vu à quel point je lui ressemblais.

— Oh ! Tu sais, les ressemblances… Avant, oui, avant ça a été un regret de ne pas trouver justement de ressemblance chez mes enfants. Mais aujourd'hui, ça ne veut plus rien dire.

À son tour, René Lamontagne a un sourire ému.

— De toutes façons, avec tes grandes jambes, qui aurait pu dire que tu n'étais pas notre fille, et les jumeaux avec leurs yeux noisette et leurs taches de rousseur ressemblent à Thérèse. On peut bien faire dire tout ce qu'on veut aux ressemblances. Tu ne crois pas? L'essentiel ne se joue pas à ce niveau.

— Ça, papa, je l'ai compris il y a bien des années. Quand j'ai connu Cécile. Elle était peut-être ma mère biologique, mais dans mon cœur...

Dominique reste silencieuse pour un instant. Puis elle reprend, le cœur et l'esprit tournés vers son passé:

— J'aime Cécile, c'est certain, dit-elle d'une voix douce en repensant à ce matin où dans l'anonymat d'une petite salle de réunion elle avait enfin rencontré celle qu'elle se languissait de connaître. Te souviens-tu à quel point j'espérais la connaître? Et jamais je ne regretterai d'avoir entrepris les démarches pour la retrouver. Mais en même temps, j'ai compris que jamais elle ne pourrait vous remplacer. Finalement, je crois qu'elle a été plus importante pour les enfants que pour moi.

— Comme quoi il n'arrive jamais rien pour rien dans la vie! Rappelle-toi combien la présence de Jérôme et Cécile a été décisive dans la vie de François. C'était une bonne chose qu'ils soient là. Parce que ta mère, elle, n'aurait jamais pu tenir le rôle que ton fils espérait de la part de ses grands-parents. Elle a bien des qualités, Thérèse, mais disons que ce n'est pas une femme chaleureuse. Elle vous a aimés tous les trois, Claude, Francine et toi, et jamais elle n'aurait pu être heureuse sans votre présence dans sa vie. Mais elle aime bien sa tranquillité aussi, et le jour où Francine a quitté la maison, je te jure qu'elle a poussé un soupir de soulagement.

— Pour ça, je te crois sur parole, approuve Dominique avec une pointe de moquerie dans la voix, entendant toujours l'exaspération de sa mère quand un événement banal venait bousculer sa petite routine. Pourtant, maman n'a jamais compté les heures pour nous et je sais qu'elle sera toujours là en cas de besoin.

Puis Dominique éclate de rire franchement.

— Mais faut que ce soit important, par exemple! Thérèse Lamontagne n'aime pas voir bousculer son horaire!

— C'est vrai mais je crois que présentement, c'est important... Alors, ce voyage?

Dominique fait la moue comme si elle hésitait alors qu'elle est terriblement tentée d'accepter.

— Ça me tente, avoue-t-elle enfin. Et malgré les mots durs d'André, je crois qu'il va comprendre. Il finit toujours par me comprendre, tu sais. C'est juste qu'on est différent. Lui, c'est un impulsif, un rapide. Alors que moi... Mais je dis quoi à maman pour justifier ma présence ?

— Tu connais ta mère. C'est une nerveuse, une éternelle inquiète. Alors tu dis simplement que tu en avais assez de l'hiver et que tu avais besoin de te reposer. Occupée comme elle l'est avec ses bridges et son golf, elle devrait à peine se rendre compte que tu existes ! Mais ne t'en fais pas. Je lui parlerai quand le moment sera propice. Et malgré les apparences, ta mère est une femme forte. Elle va battre des ailes un moment, s'agiter et pousser des lamentations puis elle va se calmer et accepter. Elle est comme ça.

Puis, avec un grand sourire :

— Et vois-tu, ma grande, je l'aime comme ça. Comme je t'aime toi, telle que tu es, avec ta peur, tes indécisions et ton cœur immense...

Dominique se décide tout d'un coup.

— D'accord, j'accepte. Va donc pour la Floride !

Elle ajoute, en soupirant :

— Ne reste qu'à expliquer tout ça à André...

Redevenue sérieuse, elle murmure, tant pour elle-même que pour son père :

— Je sais qu'André a raison et que ma réaction est injustifiée. Mais j'ai toujours été comme ça : je suis allergique à tout ce qui se rapproche de la maladie. De près ou de loin ! Et je crois même que, si les accouchements à domicile avaient existé à l'époque, jamais je n'aurais mis les pieds dans un hôpital...

Dominique lève alors les yeux vers son père et lui fait un petit sourire.

— Merci pour le voyage. Je vais profiter de cette semaine en tête-à-tête avec moi-même pour apprivoiser l'idée. Je n'ai pas vraiment le choix...

Sur ces mots, elle se relève, saisit son manteau qu'elle avait posé négligemment sur le dossier de la chaise et l'enfile.

— Merci, papa. Je savais qu'avec toi, j'arriverais à faire un peu de clarté dans tout ça. Dans le fond, j'ai l'impression qu'on se ressemble, toi et moi.

Mais alors qu'elle quitte la maison, René Lamontagne murmure, avec un pincement au cœur, tout en la regardant partir par la fenêtre :

— Ce n'est pas à moi que tu ressembles, Dominique. C'est à ta mère. À Cécile. Même si toi, tu ne le vois pas…

Puis il se ressaisit, soupire et se retourne.

— Et maintenant, les réservations pour l'avion, lance-t-il finalement à haute voix. Où est-ce que j'ai mis ce fichu numéro ?

CHAPITRE 6

« Quand on a envie de faire quelque chose dans la vie, faut surtout pas attendre que les autres agissent à notre place... Rien de mieux qu'un peu de recul pour comprendre sa vie. »

CONSEIL DONNÉ PAR MÉLINA À L'HIVER 1984

— Mélina, que diriez-vous de préparer une grosse fête pour Jérôme ? Dans deux semaines il va avoir soixante-quinze ans. Il me semble que ça serait bien de le souligner en grandes pompes !

Cécile et Mélina ont repris leur bonne vieille habitude de s'asseoir sur la galerie depuis que le printemps s'est enfin décidé à s'installer à demeure. En quelques jours la neige a fondu comme... neige au soleil, le fond de l'air s'est radicalement adouci, et sans hésiter Cécile a demandé à Jérôme de sortir les lourdes chaises de bois sur la galerie.

— Pour ta mère... Un peu d'air pur va lui faire du bien. Te rends-tu compte qu'elle n'a pas mis le nez dehors depuis Noël ?

C'est ainsi que, depuis le début de la semaine, Cécile et Mélina prennent place sur la galerie afin de profiter des chauds rayons de midi, juste avant de manger, en attendant que Jérôme vienne les rejoindre après le long avant-midi qu'il passe invariablement à la cidrerie pour commencer à préparer la saison prochaine. Mélina lève un regard incrédule vers Cécile.

— Soixante-quinze ans ? T'es ben sûr de ça, ma Cécile ?

— Pas l'ombre d'un doute ! Jérôme va avoir soixante-quinze ans au début de mai. Par contre, je pense qu'il serait mieux d'attendre la fin du mois pour organiser quelque chose. Question de mettre Dame Nature de notre côté. Et ça va permettre un effet de surprise ! Jérôme ne s'y attendra pas.

— Soixante-quinze ans, répète Mélina, omettant volontairement une partie du discours de Cécile. Eh ben ! C'est fou comme le temps passe vite...

La vieille dame reste songeuse un moment.

— Si quelqu'un m'avait dit qu'un jour je verrais les soixante-quinze ans de mon fils...

Puis Mélina porte les yeux sur le champ des voisins, tourne la tête vers l'érablière que l'on devine au bout de la terre, pousse un long soupir, lève le nez pour humer l'air, revient au champ labouré à l'automne dernier. Puis soupire à nouveau. Devant elle, le paysage résume toute sa vie, passée ici, dans cette maison, devant ce même champ que l'on va probablement semer de maïs. « Somme toute, une belle vie » songe-t-elle. Puis elle revient à Cécile et lance de sa voix qui porte toujours aussi bien :

— C'est sûr qu'y faut fêter ça en grande ! Et ton idée d'attendre la fin de mai a plein d'allure, fait-elle, catégorique, se ralliant ainsi à la proposition de Cécile. J'me rappelle, moi aussi, quand mon homme a eu cet âge-là ! J'avais pour ainsi dire rapaillé toute la paroisse chez nous pour le fêter ! Bonyenne que Gaby était content. Même ses amis d'la p'tite école s'étaient déplacés pour lui. C'est vrai que mon mari était aimé de tout le monde... Ouais, un ben bon gars, mon Gaby... J'm'ennuie, tu sais, ma Cécile. Y'a pas une journée où j'ai pas pensé à lui depuis qu'y est mort. Pas une...

Et sur ces mots, Mélina replonge dans un silence méditatif entrecoupé de longs soupirs que Cécile se garde bien d'interrompre. Inspirant profondément, elle se contente d'admirer la nature qui leur offre cette journée idyllique. Quelques traces de neige subsistent encore sous les pommiers donnant à l'air une petite senteur piquante de terre mouillée et, très haut dans le ciel, les hirondelles dansent leur ballet annuel à la recherche de la cabane abandonnée à l'automne. Le soleil dessine des ombres courtes derrière le hangar et l'herbe commence à verdir par plaques inégales. « Et si on montait une tente comme pour les noces de François » pense alors Cécile. « Quand on est nombreux et que le temps se chagrine, c'est encore la meilleure solution. Et on devrait peut-être aussi retenir les services d'un traiteur pour le repas. À notre âge, Mélina et moi, je doute que nous arrivions à préparer un repas digne de ce nom pour une grande foule. Encore faudrait-il savoir combien nous serons ! La première chose à faire serait de... » Perdues toutes deux dans leurs pensées, Cécile et Mélina n'ont pas remarqué Jérôme qui arrive à grandes foulées.

— La belle journée, lance-t-il tout guilleret, interrompant la réflexion de Cécile et faisant sursauter sa mère.

— Et comment, bougonne cette dernière en portant la main à son cœur qui s'est mis à débattre.

Alors que Jérôme atteint la galerie, il souligne :

— J'ai bien l'impression que Sébastien va me manquer, cette année. Il n'avait l'air de rien comme ça, monsieur l'artiste, mais bon sang qu'il abattait de la besogne dans une journée !

À la mention de ce nom, Cécile lève un sourcil, se disant qu'il ne faudrait pas l'oublier dans la liste des invités et Mélina lui jette un regard qui semble bien vouloir dire la même chose, le tout sans répondre à Jérôme qui les regarde tour à tour.

— Bonjour quand même, fait-il en grimaçant.

Cette fois-ci, les deux femmes échangent un sourire.

— Mais qu'est-ce qui se passe ici ? Vous avez l'air de deux conspiratrices.

Mélina lève alors les yeux au ciel.

— Deux cons... Bonyenne que c'est fatigant d'avoir un fils qui parle comme un dictionnaire. Deux comparses peut-être. Deux commères... Pis t'es dans l'erreur, mon gars. Qu'essé tu veux qu'on complote, Cécile pis moi, hein ? C'est pas icitte perdues en campagne, au boutte d'un rang qui mène nulle part, qu'on peut changer le cours des choses, voyons donc. Au lieu de dire des âneries, aide-moi donc à me relever pour aller manger. Depuis qu'on prend l'air comme ça tous les jours, l'appétit m'est revenu ! C'est une bonne affaire parce que j'étais rendue à picorer comme un moineau. Hein, Cécile c'est une bonne chose de bien manger ? T'es docteur, tu dois ben l'savoir... Moi, j'ai pour mon dire : quand l'appétit va, le reste suit. Envoye, Jérôme, donne-moi ton bras. J'ai les jambes en coton. Où c'est que j'ai mis ma marchette ? Engin du diable...

Et tout en suivant la vieille dame à deux pas derrière, échangeant un regard malicieux devant les paroles échevelées de

Mélina, Cécile et Jérôme entrent dans la cuisine pour se mettre à table...

* * *

Ils seront tous là, à l'exception de Sébastien qui se désiste à la dernière minute, en appelant Cécile tout juste la veille de la fête.

— Je ne pourrai y être. Je regrette...

Puis après un bref silence, il donne en guise d'explication :

— Je dois partir pour Paris avec mon père.

Ce qui finalement n'explique rien du tout et suscite une foule de questions. « Tiens ! Il a renoué avec son père ? Nouveau, ça ! Et pourquoi Paris ? » prend-elle le temps de penser en raccrochant le combiné du téléphone. Pour aussitôt passer à autre chose. Ce n'est pas une sinécure que d'avoir plus de cinquante personnes sous son toit, et malgré le fait que Mélina et elle aient choisi de confier l'organisation du repas à un traiteur, il reste des milliers de petites choses à préparer... dans le plus grand secret, car Jérôme ne se doute de rien.

— Mais veux-tu bien me dire ce qui te prend à frotter comme ça depuis deux jours ?

— Le grand ménage du printemps, Jérôme... Pour faire plaisir à ta mère. Tu sais comme moi à quel point c'est important pour elle. Et je me rappelle que c'était la même chose pour ma mère ! Dès que les hirondelles se pointaient, ma mère se mettait à frotter. Elle sortait même les matelas sur la galerie pour les faire aérer. Tu te rends compte ? Alors viens pas me dire que je frotte trop ! À moins que tu ne veuilles m'aider ? On pourrait peut-être les sortir, les matelas, nous aussi... Qu'est-ce que tu en dis ?

Sans demander son reste, Jérôme s'était déjà éclipsé et avait filé vers la cidrerie, les yeux au ciel.

Puis le jour de la fête est arrivé. C'est un petit matin gris, mais le couvert nuageux est très haut dans le ciel. Il ne devrait pas pleuvoir. Par contre, il fait chaud malgré une bonne brise qui se promène dans le verger, gorgée de la senteur sucrée des pommiers en fleurs. Cécile a réussi à convaincre Jérôme que les achats concernant la cidrerie ne pouvaient attendre plus longtemps.

— Il faut que je me prépare moi aussi!

— Justement... Je me demandais cette année si c'était vraiment nécessaire de se lancer dans les confitures, tartes et autres con...

Cécile prend aussitôt un air furibond.

— C'est ça, Jérôme! Dis donc tout de suite que ce que je fais est inutile!

— Ce n'est pas ce que j'ai dit, voyons! Je pense seulement qu'à notre âge, sans l'aide de Sé...

— On engagera quelqu'un d'autre. De toute façon, l'épicier compte sur nous.

— Peut-être, oui.

Et comme Jérôme ne sait rien refuser à sa douce, il part dès le petit déjeuner avalé avec une liste impressionnante d'effets « dont j'ai besoin immédiatement! » précise Cécile.

— Mais j'en ai pour la journée!

— Mais non, mais non! Tu vas voir! Tu devrais être de retour pour seize heures.

— C'est bien ce que je disais. Il te faut vraiment toutes ces...

Le regard de Cécile lui clôt le bec. Et celle-ci pousse un soupir de soulagement quand l'auto disparaît au tournant du rang.

— Enfin! J'ai bien cru qu'il ne partirait jamais.

À quinze heures, la tente est montée, le traiteur a disposé son buffet et les invités commencent à arriver. Le plaisir de se retrouver brille dans tous les regards. Et tous ceux qui ont de l'importance aux yeux de Jérôme ont réussi à se libérer pour l'occasion.

— On ne voudrait manquer ça pour tout l'or du monde!

Ils sont tous là! François, Marie-Hélène et Laurence qui commence à se traîner un peu partout, rieuse et bouclée comme un petit mouton. Denis, le fils adoptif de Cécile, a demandé un congé spécial, sachant qu'il fera plaisir à sa mère en étant présent avec son épouse et ses deux fils. René et Thérèse arrivent avec une immense gerbe de fleurs, suivis de près par Frédérik et Geneviève, le frère et la sœur de François. Judith, la sœur de

Jérôme, s'est pointée dès le matin pour donner un coup de main à sa famille. Dominique et André aussi sont arrivés un peu plus tôt. Puis c'est la famille de Cécile, ses nombreux frères et sœurs et leurs familles qui arrivent enfin, Paul et Gabriel en tête, suivis d'un Gérard à la dernière minute comme toujours.

— S'cuse-moi, la sœur, mais avec Marie qui se remet difficilement de sa crise d'angine, j'sais jamais quand je peux partir. Mais nous v'là, c'est ça qui compte.

Marie, l'épouse de Gérard, a eu des difficultés avec son cœur durant l'hiver. Elle est encore toute pâle mais, comme toujours, elle est souriante.

— Gérard voulait que je reste à la maison, confie-t-elle à Cécile. Tu sais comment il est ! J'ai eu droit à une crise majeure quand j'ai dit qu'il n'en était pas question.

Alors Cécile installe sa belle-sœur sous les pommiers auprès d'une Mélina endimanchée, le regard brillant de joie anticipée.

— Bonyenne que c'est une belle journée, ne cesse de répéter la vieille dame à qui veut bien l'entendre.

Et quand Jérôme, harassé d'avoir couru à droite et à gauche pour satisfaire les caprices de Cécile, descend de sa voiture, c'est une clameur qui s'élève au-dessus de la terre ancestrale des Cliche.

— Mon cher Jérôme, c'est à ton tour…

Pendant un moment, à voir la blancheur cireuse que prend le visage de Jérôme, Cécile se demande si c'était une si bonne chose que de lui réserver la surprise. Mais comme le rouge monte aussitôt aux joues d'un Jérôme visiblement heureux et ému, elle se rassure.

— Bonne fête, mon amour !

Elle vient jusqu'à lui et l'embrasse tendrement sur la joue. Puis les invités se pressent autour d'eux tandis que les serveurs commencent à promener les plateaux…

La fête bat son plein. À tour de rôle, les invités ont tous pris quelques instants pour féliciter Jérôme, s'entretenir avec lui de choses et d'autres. Curieusement, ces marques d'affection le laissent nostalgique. Il est heureux de la présence de tous ces gens qui l'aiment sincèrement, mais en même temps leur présence crée un sentiment d'absence. Qui pourrait parler avec lui des quarante années de sa vie qui pour eux n'ont jamais existé ? Parce que, présentement, si Jérôme ressent la chaleur de leurs souhaits et la sincérité de l'affection que chacun lui porte, les paroles échangées avec eux ne restent qu'à la surface du quotidien. Jérôme Cliche n'a aucun souvenir à partager avec eux. Constatant que les gens se dirigent maintenant vers la grande tente blanche pour se restaurer, il en profite pour déposer son verre sur une table de jardin et s'éclipser en direction du verger. Le bourdonnement des rires et des conversations se mêle au souffle de la brise chaude. Les pommiers sentent bon, les hirondelles sont affairées. Perché à flanc de coteau, le verger laisse entrevoir un reflet de la rivière qui serpente dans la vallée. S'asseyant alors au pied d'un vieil arbre tordu, Jérôme laisse remonter tous les souvenirs qu'il ne peut partager avec qui que ce soit. Quarante ans... Plus de la moitié de sa vie. Il revoit en pensée un autre verger, aux allées bien droites, bordées de fleurs, odorant comme celui-ci. Cette senteur de pommes qui pendant des années a suscité de curieux soubresauts de son âme sans qu'il en comprenne ni le sens ni l'origine. Il s'appelait alors Philippe, il vivait dans un monastère en France où les moines l'avaient recueilli après le Débarquement où il avait été blessé à la tête. Il ne se souvenait de rien, sinon que la senteur des pommes devait, pour une raison quelconque, appartenir à son passé. Pendant plus de dix ans, il avait vécu au présent, son esprit refusant de se rappeler le passé et n'ayant pas la force d'envisager l'avenir. Dix ans de sa vie à s'appeler Philippe parce qu'il ne se rappelait ni son nom ni ses origines. Puis la mémoire lui était revenue, portée tout simplement par quelques mots d'une chanson entendue à la ville. Quelques mots et un nom, Juliette, avaient suffi à réveiller son passé et tous ses souvenirs. Il s'appelait en réalité Jérôme Cliche, il habitait au Québec, il avait une fiancée et une petite fille cédée à l'adoption qu'ils avaient décidé d'appeler Juliette. Il avait pourtant choisi de rester en France et de poursuivre sa destinée sous le nom de Philippe. Trop de temps s'était écoulé sans lui pour qu'il puisse revenir dans sa famille. On le croyait mort, on s'était habitué à son absence, on avait continué à vivre sans lui. Jérôme avait peur de ce temps que la vie lui avait volé. Jérôme avait peur de retrouver celle qu'il aimait encore heureuse sans lui. Aujourd'hui, à l'aube de ses soixante-quinze ans, Jérôme se souvient de toutes ces années que personne ne peut partager avec lui, le cœur battant très fort. C'est là que Cécile le trouve, ayant, elle aussi, cherché refuge au verger pour se détendre un peu.

— Fatigué, mon bel amour ?

Jérôme ne répond pas. S'approchant alors de lui, Cécile se laisse tomber dans l'herbe et ferme les yeux à demi. Puis elle pousse un profond soupir, confrontée, à son tour, à des souvenirs que jamais elle ne pourra oublier.

— Curieux, murmure-t-elle, de voir à quel point l'odeur des fleurs de pommiers arrive encore après tant d'années à remuer mon âme.

Jérôme dessine un sourire un peu las.

— Curieux de voir que malgré l'absence, malgré les silences, nous étions tous les deux attachés au même parfum, répond-il d'une voix très douce.

Se méprenant sur le sens réel de ces quelques mots, Cécile se presse encore plus étroitement contre lui.

— Comment oublier ce printemps de 1942 ? Toute notre vie y est rattachée.

Jérôme lève brièvement les yeux vers elle avant de poursuivre.

— Pour toi cette odeur de fleurs se résume à une saison dans ta vie. Pour moi, l'odeur des pommes, c'est quarante ans de ma vie. Comment oublier quarante ans de sa vie, Cécile ? Comment oublier que je m'appelais Philippe ? Comment oublier que le seul être sur terre qui pourrait aujourd'hui parler du passé avec moi s'appelle Don Paulo et qu'il vit retraité en Italie ?

C'est la première fois que Jérôme lui parle ouvertement de Philippe, de tout ce temps où il s'appelait Philippe et vivait reclus dans un monastère français. Sinon, à l'occasion, des allusions aussi brèves que concises. Sinon un voyage dans cette région du monde, ensemble mais accompagnés d'un François adolescent qui finalement avait occupé leur temps et leurs pensées. Comprenant l'importance des instants qu'ils sont en train de vivre, Cécile glisse sa main dans celle de Jérôme comme pour l'inviter à poursuivre. Mais Jérôme, tout entier tourné vers son passé, reste un long moment silencieux avant de se décider à parler encore. C'est la chaleur de Cécile contre son épaule qui déclenche en lui le besoin impérieux de mettre en mots ces quarante années de silence entre eux. Cette chaleur lui a tellement manqué.

— J'aimerais retourner en France, Cécile, explique-t-il d'une voix étouffée. Pour refaire les pas d'hier avec toi. Pour te raconter ma vie. Te raconter les cycles immuables d'une vie dans un monastère. Que tu saches que chaque jour je pensais à toi et que chaque nuit je rêvais de nous. Que le verger où nous sommes assis tous les deux se superposait à l'autre là-bas et que lorsque je fermais les yeux, il m'arrivait d'entendre la voix de mon père qui m'appelait. Que le son de la cloche du monastère nous conviant à la prière faisait écho à la cloche installée sur la galerie de mon enfance et que ma mère faisait tinter quand elle avait à nous parler et que nous étions à l'autre bout du champ. J'aimerais te dire cette vie loin de toi que par lâcheté j'avais choisie parce que j'avais peur d'apprendre que je t'avais perdue. Par lâcheté et par amour… Comment, Cécile, comment savoir si j'ai fait le bon choix ? Jamais, je crois, je n'arriverai à répondre à cette question qui continue de me hanter.

— Pourquoi chercher à y répondre ? Pour moi aussi il y aura toujours quarante ans d'absence et de silence. Pour moi aussi il y aurait tant et tant de souvenirs à partager. Mais ces souvenirs n'appartiendraient pas à notre vie. Par contre, ils auront contribué à faire de nous ce que nous sommes. De là leur importance, peut-être…

Se reculant légèrement, Cécile se tourne vers Jérôme et prend son visage entre ses deux mains. Elle le regarde longuement, amoureusement. Alors, d'une voix très douce, elle ajoute :

— Tu sais combien j'aime à répéter qu'il faut faire confiance à la vie, n'est-ce pas ? Je ne sais pas plus que toi pourquoi elle a choisi de nous tenir éloignés l'un de l'autre si longtemps. Et souvent, je me suis dit que c'était injuste. Pourtant, je n'étais pas malheureuse avec mon premier mari. Charles était à sa façon un être merveilleux. Mais souvent je pensais à ce que ma vie aurait été avec toi et chaque fois, j'avoue que tu me manquais terriblement. Notre vie me manquait. Je n'ai jamais cessé de t'aimer, Jérôme. Jamais. Pourtant, si tu avais décidé de revenir, je n'aurais pu te suivre. Pas en sachant que je rendais deux êtres malheureux. Il y avait Charles à qui j'avais promis amour et fidélité et il y avait aussi Denis, mon fils, qui s'était approprié une grande partie de mon cœur et de ma vie. Jamais je n'aurais pu délibérément faire souffrir le petit garçon qui avait mis toute sa confiance en moi et en Charles. Denis est mon fils aussi sûrement que Dominique est notre fille. Qu'importe que je l'aie porté ou non, qu'importe que je l'aie mis au monde ou pas. L'essentiel ne se joue pas à ce niveau. Je l'aime depuis le tout premier instant où nos regards se sont croisés. Si tu étais revenu plus tôt, cet instant n'aurait été que souffrance et déchirement. Alors qu'au jour où nous nous sommes retrouvés, libres tous les deux, ce moment des retrouvailles a été pour moi le plus beau moment de ma vie. Maintenant, je le comprends. Et si j'ai pu t'en vouloir d'avoir choisi l'absence et le silence pendant toutes ces années, je le regrette. Car aujourd'hui, vois-tu, je sais que tu as fait le bon choix. Et ce que tu crois être de la lâcheté n'est en fait que l'expression d'une grande intuition probablement dictée par l'amour que tu avais toi aussi. À sa façon, l'amour n'a jamais cessé d'exister entre nous, et c'est lui qui a guidé nos pas et nos choix.

Pendant un long moment les mots de Cécile les unissent l'un à l'autre. Et brusquement, pour l'un comme pour l'autre, ces quarante longues années viennent de prendre un sens nouveau.

À son tour, Jérôme plonge son regard dans l'océan des yeux de Cécile. Ce bleu unique de mer par temps calme. Sa douce, sa merveilleuse Cécile. Pour elle, Jérôme a alors ce mot qui dit tout, qui résume tout.

— Merci.

Puis il enlace ses épaules et reporte les yeux sur l'horizon. Le ciel s'est dégagé et, comme parfois en France, il a cette douceur vaporeuse qui donne envie de pousser un long soupir de bien-être. Nichant sa tête au creux de l'épaule de son mari, Cécile ajoute encore :

— Oui, la vie sait bien s'occuper d'elle-même et de nous. Tout à l'heure, Thérèse me disait à quel point Laurence ressemble justement à notre fille quand elle était bébé. Mêmes grands yeux bleus, mêmes cheveux sombres et bouclés, même sourire coquin. Notre arrière-petite-fille est à sa façon un cadeau de la vie. Une façon de remonter dans le temps et de joindre le passé au présent. Je t'aime, Jérôme. Tellement, tellement fort...

Et, sachant que leurs invités ne manquent de rien pour l'instant, Cécile et Jérôme prolongent ce moment d'intense communion entre eux. Un instant de redécouverte de soi, de l'autre et de la vie.

Et tandis que Jérôme et Cécile donnent un sens tout nouveau et personnel à la fête, François, lui, perçoit cette réunion comme une occasion qui s'offre à lui de parler à sa mère. Car depuis l'autre soir, elle n'a pas donné signe de vie. Non qu'elle soit femme à les contacter régulièrement. Dominique est plutôt discrète de nature. Mais devant sa réaction, son réflexe de recul qui n'a échappé ni à Marie-Hélène ni à François, ce dernier s'attendait à un geste de sa part. Un appel, une petite lettre... Et depuis leur arrivée ici, un sourire, un mot... Il n'en demande pas plus. Mais sa mère semble le fuir. Et c'est exactement cette même impression qu'elle lui avait donnée l'autre soir quand elle n'avait pas cherché à les retenir pour la nuit, elle qui habituellement ne veut jamais les voir prendre la route quand la noirceur est tombée. Les parents de Marie-Hélène étant absents de la capitale ce jour-là, François et sa petite famille étaient donc revenus directement à Montréal après le souper. Et quand Marie-Hélène s'était levée aux petites heures du matin pour nourrir Laurence, elle avait trouvé François assis au salon, seul dans le noir. De toute évidence, il n'avait pas fermé l'œil de la nuit.

— Tu veux en parler, avait-elle alors demandé en s'agenouillant sur le sol près de lui et en prenant sa main dans la sienne, ignorant pour une première fois les pleurs venant de la chambre de leur fille.

— Qu'est-ce qu'on pourrait en dire ? Le docteur Samuel nous avait prévenus. Peut-être bien, finalement, que c'est toi qui as raison et que le silence vaut mieux que...

— Chut... Tu te fais mal pour rien, François.

— Non, c'est la réaction de ma mère qui me fait mal. Qu'elle ait peur, je peux le comprendre, j'ai connu cette même peur. Mais ce rejet évident...

Marie-Hélène était restée silencieuse pour un instant. Laurence avait cessé de crier et maintenant c'était son babil de bébé qui soutenait le silence de l'appartement. La douleur de François la touchait, rejoignait la sienne face à cette maladie indésirable qui détruisait tant de choses par sa seule évocation. Pourquoi, pourquoi avait-il fallu que... Éternelle question qui restera à jamais sans réponse.

— Je ne crois pas que ce soit un rejet, avait-elle murmuré enfin. Pas dans le sens où tu l'entends. Je connais suffisamment ta mère pour savoir que jamais elle ne pourrait renier un de ses enfants. Rappelle-toi quand tu étais adolescent ! Par contre, je la connais aussi assez bien pour comprendre que ce qui nous arrive, c'est un peu à elle que ça arrive. Elle est comme ça, ta mère, et aussitôt qu'un des siens a un problème, elle l'endosse comme si elle pouvait de ce fait vous en libérer...

— Habituellement, oui... Mais là, je n'en suis pas si certain.

Et François en est là. Indécis face à sa mère, n'espérant qu'un mot de réconfort, de soutien. Et Dominique le sait. Depuis son retour de Floride, elle n'arrête pas de se répéter qu'elle devrait appeler, prendre des nouvelles, ne serait-ce que de Laurence. Elle n'y arrive pas. Son voyage n'a pas donné les résultats escomptés. Elle est revenue avec sa peur et sa culpabilité. Seule l'attitude d'André a changé à son égard quand il a compris que la situation la dépassait. Parfois, il arrive que l'on soit incapable de faire la part des choses, malgré la meilleure volonté du monde. Et c'est exactement ce qui se passe avec Dominique. Elle a mal, elle a peur, elle se sent responsable. Curieux mélange de Cécile et de Thérèse, les deux femmes qui ont le plus marqué son existence, Dominique est souvent mal à l'aise avec elle-même. Et André sait fort bien qu'il ne faut pas la bousculer. Il a donc pris la relève et c'est lui qui va aux nouvelles, téléphonant régulièrement à son fils. Mais François n'est pas dupe et il comprend à travers cette attitude que sa mère n'a pas accepté la situation. Alors il veut lui parler. Quand bien même ce ne serait que pour se faire dire clairement qu'elle veut se tenir éloignée. Il aurait mal, certes, mais cela vaudrait mieux que des suppositions, des incertitudes. Il s'ajusterait en conséquence. Depuis un mois qu'il y pense, François a réussi à surmonter sa déception première. Tout ce qu'il veut, c'est savoir et entendre dire qu'elle l'aime malgré tout. Même si cet amour doit se vivre à distance…

C'est pourquoi, comprenant finalement que sa mère continuera de l'éviter, il se décide et profite de la première occasion offerte pour prendre les devants. Dominique est devant la table des desserts, seule, et elle semble hésiter devant la multitude des petits gâteaux tous plus tentants les uns que les autres.

— Maman ?

Au son de sa voix, Dominique sursaute.

— François !

Le ton employé, superficiel et joyeux, semble forcé, exagéré. Pendant un instant, ils se regardent. De loin. François n'ose approcher, la réticence de Dominique se percevant au fragile tressaillement des épaules qu'elle a eu. Puis elle revient face aux desserts.

— Je crois qu'il faudrait se parler.

La voix de François résonne étrangement sous la grande tente blanche. Dominique suspend son geste, la main en équilibre audessus du plateau comme si on venait d'arrêter la bobine d'un film. Elle ne répond pas tout de suite. Elle savait depuis l'instant où Cécile l'avait appelée pour l'inviter à la fête que cet instant allait arriver. François est son fils et elle l'aime. Là-dessus, il n'y a aucun doute dans sa tête, dans son cœur. Mais François va devoir comprendre que pour l'instant, elle ne peut aller plus loin.

Elle a encore besoin de temps pour comprendre cette maladie, pour s'ajuster à sa peur. Elle a besoin de temps pour accepter que son fils va peut-être mourir bien avant elle... La main de Dominique retombe enfin le long de sa cuisse. Finalement, elle n'a plus très faim. Puis elle se retourne et offre un tout petit sourire à François. Le cœur de ce dernier bondit, soulagé.

— Tu as raison, il faut qu'on se parle. Il faut que je te parle.

Alors le cœur de François s'emballe, le soulagement d'une seconde remplacé par une violente crainte. Car au timbre de la voix de sa mère, il vient de comprendre qu'il n'aimera pas ce qu'il va entendre.

Chapitre 7

« Mais une chose que je sais, par exemple, c'est que sur cette terre, à travers tous les autres, il y a des gens qui méritent notre confiance et on n'a pas le droit de les repousser. »

Paroles de Virginie à François à l'automne 1995

Sébastien et son père viennent tout juste de débarquer à l'aéroport Charles de Gaulle. Livides, les traits tirés par le manque de sommeil et le décalage horaire, ils attendent en file pour remplir les formalités de la douane. Derrière la fenêtre, le soleil de neuf heures est déjà presque chaud.

— À l'hôtel pour une petite sieste et après, j'entre en communication avec Paul. Il attend mon appel, lance Me Duhamel en replaçant son passeport dans la poche intérieure de sa veste.

Incapable de résister à l'attrait de quelques heures dans un bon lit, suivant à deux pas derrière, Sébastien n'insiste pas.

— Va pour la sieste, approuve-t-il d'une voix éteinte.

Le temps de récupérer leurs bagages et ils s'engouffrent dans un taxi qui les mène rapidement à la ville. Trente kilomètres à bonne vitesse où Sébastien doit faire un effort constant pour ne pas sombrer dans le sommeil. Mais dès que le taxi entre dans Paris, l'ambiance de la ville lui fait oublier qu'il s'endort. L'hôtel choisi par Me Duhamel est petit mais luxueux, à l'ambiance feutrée.

— J'ai réservé deux chambres, explique-t-il en récupérant les valises. Comme ça, je pourrai continuer à travailler. C'est bien beau être ici, mais la vie n'arrête pas pour autant et j'ai un procès important qui s'en vient.

Puis, après une brève hésitation, il ajoute :

— Et j'ai pensé que tu serais peut-être plus à l'aise.

De rencontre en appel téléphonique, de détails en propositions, Sébastien découvre en son père un homme capable de délicatesse, de gentillesse. Malgré sa propension naturelle à tout dicter, à tout contrôler, Me Duhamel peut se montrer un parfait gentleman. Petit à petit, le réflexe de retenue que Sébastien cultivait farouchement envers lui s'amenuise. Même s'il n'en laisse rien paraître.

— Profite de ton voyage pour apprendre à le connaître, lui avait conseillé Virginie en l'embrassant au moment du départ. J'ai l'intuition que ton père est beaucoup plus gentil que tu ne le crois.

— Ouais, peut-être, avait alors admis Sébastien en grognant, le souvenir d'un certain dîner partagé avec lui s'imprimant aussitôt clairement dans sa tête. Mais disons qu'il cache fort bien son jeu quand il le veut.

— Oui, et après?

Sébastien n'avait pas répondu, se contentant de serrer Virginie très fort dans ses bras. Il savait qu'il allait s'ennuyer d'elle. Mais le fait que Me Duhamel a pensé à réserver deux chambres plutôt qu'une dans un hôtel où la facture doit être salée est une preuve supplémentaire que Virginie a probablement raison. Et il le sait. Sébastien glisse vers le sommeil en repensant qu'il est ici pour retrouver son frère. C'est un débattement du cœur très fort et à contrecoup qui l'emporte au pays des rêves…

Son père le ramène à la réalité deux heures plus tard par une série de coups bruyants frappés contre sa porte.

— Debout là-dedans! Paul nous attend au Petit Café, en bas.

Le temps de s'ajuster au fait qu'il est bel et bien rendu à Paris et que ce n'est plus un rêve, la tête lourde et l'esprit brumeux, Sébastien se tire du lit à contrecœur et ouvre à son père. Fidèle à lui-même, rasé de près, vêtu d'une légère chemise d'été en conformité avec la température extérieure, Me Duhamel semble frais et dispos, en parfait contrôle de situation. Il éclate de rire devant la mine déconfite de Sébastien.

— Saute dans la douche, conseille-t-il avant de tourner les talons. C'est souverain pour retrouver ses esprits. Paul et moi, on t'attend en bas.

Antoine Duhamel avait raison. La douche fraîche lui remet les idées en place. Impatient de rencontrer Paul Boisvert, le détective engagé par son père à Montréal, Sébastien se dirige vers le Petit Café, emménagé dans une verrière à l'arrière de l'établissement. La voix forte de Me Duhamel lui permet de repérer les deux hommes sans difficulté. En approchant, Sébastien ne peut retenir le sourire narquois qui lui monte aux lèvres. Vêtu d'un imper beige, le col remonté malgré la chaleur évidente qu'il fait à l'extérieur — la verrière est inondée de soleil —, l'index posé comme un crochet autour d'un respectable cigare, Paul Boisvert ressemble à Colombo comme un frère jumeau. « Tout à fait dans le style de Me Duhamel, songe alors Sébastien, amusé. Il répond parfaitement au sens du théâtre de mon père », ajoute-t-il intérieurement, ravalant tout de même poliment son sourire en se glissant entre les tables. Il arrive auprès des deux hommes au moment où le détective explique l'endroit où se terre Maxime.

— Il n'est pas ressorti de là depuis des jours. J'ai contacté un ami, Conrad qu'il s'appelle, et la piaule où crèche Maxime est sous surveillance vingt-quatre heures sur vingt-quatre depuis que je l'ai retrouvé.

Puis, levant la tête vers le jeune homme qui se tire une chaise, le détective tend la main :

— Sébastien, je présume ? Paul Boisvert. Heureux de faire ta connaissance. Comme je disais à ton père, Maxime est…

— Je sais, interrompt alors Sébastien. J'ai entendu.

Puis, au bout d'un bref silence :

— Comme ça, murmure-t-il tant pour lui-même que pour les deux hommes assis à la table, un curieux spasme lui creusant l'estomac en repensant aux paroles de son père faisant allusion à la possible maladie de son frère, je n'aurais qu'à m'y présenter tout de suite pour essayer de le convaincre de me suivre.

Paul Boisvert ne répond pas immédiatement. Un dialogue silencieux, bref mais éloquent, se déroule entre Me Duhamel et le détective. Quand quelqu'un n'est pas sorti de chez lui pendant des jours, on peut s'attendre à tout, même au pire. Et Paul Boisvert sait fort bien que son patron n'apprécierait pas de voir Sébastien découvrir que son frère… Sa réflexion s'arrête là, au moment où l'avocat lui donne carte blanche en haussant imperceptiblement les épaules. Depuis le temps où les deux hommes travaillent ensemble dans certains dossiers, une confiance évidente s'est établie entre eux.

— Donne-moi le temps de vérifier de nouveau que le chemin est libre, et tu pourras y aller, propose alors le détective en reportant les yeux sur Sébastien. Ce soir, peut-être? Ou demain au plus tard, probablement…

Et sur ces mots, il se relève, signifiant par là que l'entretien est terminé. Sans tendre la main, sur un simple signe de la tête, il se retourne et se dirige vers la sortie. Incapable de se retenir plus longtemps, Sébastien laisse entrevoir son hilarité par un large sourire.

— Drôle d'allure, souligne-t-il en le suivant des yeux. Comment veux-tu qu'on le prenne au sérieux?

— Drôle d'allure, peut-être, réplique aussitôt Me Duhamel en suivant le regard de son fils. Mais efficace en diable… Je me suis toujours demandé si son allure caricaturale et débonnaire n'était pas justement voulue. En tous cas, ça lui sert à merveille. Fie-toi surtout pas aux apparences, garçon! Je le répète: Boisvert est d'une efficacité redoutable…

Puis, levant le bras pour faire signe au garçon de table:

— Maintenant on se restaure un peu avant de faire la tournée.

— La tournée?

— Oui… Je t'ai préparé un itinéraire photo… On n'aura pas le temps de se taper le Louvre ou le Musée d'Orsay, mais il n'est pas dit que tu vas quitter Paris sans avoir au moins un peu de matériel pour tes tableaux. Paris, c'est la plus belle ville du monde, rien de moins. J'ai pensé qu'il ne fallait pas que tu passes à côté. Au programme: Montmartre, Pigalle, Jardins du Luxembourg… Un survol rapide pour faire des photos. Qu'est-ce que tu en dis?

La journée passe en coup de vent. Sébastien n'avait jamais eu l'occasion de voir Paris, même si parfois il y faisait un bref arrêt lorsqu'il voyageait avec sa mère, enfant. Subjugué par tant d'histoire, de beautés, de petits coins pittoresques, il se laisse remorquer par son père qui, lui, connaît la Ville Lumière comme le fond de sa poche. De nouveau, le jeune homme est surpris de constater que la sensibilité d'Antoine Duhamel n'a d'égal que ses vastes connaissances.

— Ça me fait curieux chaque fois, ce mélange de passé et de présent. Oh ! Regarde, là bas ! Ce peintre au coin de la rue ! Avec tout ce soleil dans les arbres, il me semble que... Mais c'est toi l'artiste. À toi de décider... Après, on prend un taxi et on se déplace à l'autre bout de la ville... Alors, tu la prends cette photo ou pas ?

Ensuite, c'est le retour à l'hôtel.

— De nouveau, douche et repos.

Me Duhamel décide, choisit, tranche. L'itinéraire de l'après-midi était précis et minuté comme du papier à musique. Et présentement, fourbu mais heureux, Sébastien aurait envie de dire que c'est son père qui est un curieux mélange de passé et de présent. Cette voix autoritaire, cette manie de toujours tout décider, d'avoir tout prévu comme dans son enfance, alliées aujourd'hui à une prévenance qu'il découvre avec plaisir.

— On se retrouve ici dans deux heures, ordonne l'avocat en désignant le hall de l'hôtel d'un geste du menton. Il ne sert à rien de se précipiter au restaurant, le dîner, comme ils l'appellent en France, n'est servi que vers vingt et une heures. Si on veut un repas digne de ce nom, vaut mieux attendre. Sinon, on se contente d'un en-cas... Et j'aurai parlé à Boisvert. À tout à l'heure.

Aussitôt dit, aussitôt fait, Me Duhamel s'engouffre déjà dans l'ascenseur... pour en bloquer les portes, revenir vers Sébastien et lui glisser une liasse de billets dans la main.

— J'avais oublié... Au cas où...

Et sans plus, revenant sur ses pas, il s'écrie :

— Attendez ! Je monte à l'étage.

Puis il disparaît pour de bon. Tout étourdi, Sébastien regarde les billets que son père lui a mis dans la main. Plus de mille francs. « Ça fait combien en dollars, ça ? » pense-t-il machinalement avant de se tourner vers la porte du Petit Café. Et comme il n'a pas envie de se retirer dans sa chambre, riche de cette fortune inattendue, il s'y dirige aussitôt.

— Une bonne bière, s'il vous plaît !

Sébastien a l'impression d'avoir besoin de reprendre son souffle. À tous points de vue !

* * *

Finalement, la rencontre avec Maxime est reportée.

— Boisvert a vu ton frère sortir de chez lui.

Et dans la voix d'Antoine Duhamel, il y a un réel soulagement.

— Mais il va sans doute y revenir puisqu'il n'avait ni son sac à dos ni la poche de hockey qu'il traîne toujours quand il quitte un endroit pour de bon. Ne reste qu'à attendre… Pas trop longtemps, j'espère, j'ai autre chose à faire à Montréal. Et maintenant, un taxi. J'ai réservé une table pour deux. Je meurs de faim !

Pourtant, en se glissant dans le taxi, Me Duhamel demande au chauffeur :

— Une mercerie pour hommes. N'importe laquelle.

— On ne va pas manger ?

— Pas avant que tu ne sois habillé comme du monde. Je déteste me faire voir avec un guenilloux… L'après-midi m'a suffi !

Agacé, Sébastien soupire et se tourne vers la vitre de la portière. « Bon, encore autre chose ! Ça ne va jamais avec lui ! » Mais au même instant, soutenant son impatience, c'est la voix de Virginie qui résonne en lui tel un signal d'alarme.

— Pourquoi toujours voir le côté négatif des choses, Sébas ? Tu n'as jamais pensé que c'était pour être gentil que ton père agissait comme ça ? Pour te faire plaisir ?

« Et pourquoi pas ? », admet enfin Sébastien en se calant sur la banquette. « Et pourquoi pas ? »

Ce n'est que le matin du surlendemain que le but premier de leur séjour à Paris se concrétise enfin.

— Boisvert vient d'appeler. C'est le bon moment. Il a vu Maxime ouvrir la fenêtre et s'installer pour prendre l'air. C'est bon signe, ça veut dire que ton frère est calme, détendu. Il devrait donc t'ouvrir quand tu vas te présenter chez lui.

Sébastien écarquille les yeux. Pour lui, il ne fait aucun doute que Maxime va lui ouvrir sa porte.

— Mais qu'est-ce que c'est que ces suppositions ? C'est sûr que Maxime va m'ouvrir la...

— Attends de voir, l'interrompt alors Antoine Duhamel, balayant l'objection de son fils du revers de la main. Oublie le gamin que tu as connu et prépare-toi des arguments en béton armé si tu veux qu'il t'écoute. Je suis persuadé que ce ne sera pas facile de l'amener à te suivre. Mais je suis persuadé aussi qu'il n'y a que toi qui puisses y arriver. Sinon, on n'aurait pas perdu notre temps ici.

« Perdu notre temps ici ! » Une fois encore, Sébastien lève les yeux au plafond, décontenancé par les propos de son père. Pourtant Me Duhamel a semblé apprécier les deux journées passées en sa compagnie. « Pas facile de s'y retrouver avec lui » songe-t-il en enfilant son chandail neuf.

Dehors, il fait beaucoup plus frais et le ciel est gris, lourd de gros nuages moutonneux qui se bousculent d'un horizon à l'autre. On parlait même d'orage au bulletin météo du matin.

Maxime habite un quartier plutôt délabré. De vieux immeubles mal entretenus, des arrière-cours encombrées, des trottoirs sales. Installé près de la fenêtre d'un café miteux, Boisvert les attendait, un œil sur la porte pour les voir arriver, et un autre en permanence sur l'immeuble en diagonale.

— Le temps a fraîchi et il a fermé la fenêtre. Tant mieux, il ne vous a probablement pas vus arriver. Par contre, c'est la première fois que je le vois si calme. Il a même souri en s'étirant avant de s'asseoir devant la fenêtre. D'attaque le jeune ?

« Comme entrée en matière, pense alors Sébastien, c'est plutôt direct ! » Il répond en haussant les épaules.

— Pourquoi pas ? Après tout, c'est mon frère, non ? Je n'arrive pas à concevoir qu'il...

S'interrompant brusquement, Sébastien hausse de nouveau les épaules.

— On verra bien, murmure-t-il, plus pour lui-même que pour la galerie.

Puis il plante l'éclat décidé de son regard dans celui de son père.

— J'y vais. Et je te jure que je reviens avec lui.

Tout en traversant la rue, il se demande ce qui le fait le plus trembler : la joie de revoir enfin Maxime ou l'anxiété de découvrir un étranger…

Contrairement à ce que son père anticipait, Maxime lui ouvre la porte dès le premier coup frappé.

— Vite, entre. Je savais que c'était toi, je t'ai vu arriver, dit-il d'une voix étouffée comme pour expliquer son empressement à lui ouvrir.

Curieusement, Maxime ne semble nullement décontenancé par la présence de son frère à Paris. On dirait même qu'il attendait cette visite. Qu'il l'espérait.

Après avoir jeté un regard anxieux par-dessus l'épaule de Sébastien en direction de la cage d'escalier, il demande en refermant promptement la porte :

— T'es sûr que personne t'a suivi ?

— Sûr ! Pourquoi voudrais-tu que…

— On n'est jamais trop prudent, l'interrompt alors Maxime tout en passant devant lui pour regagner son poste d'observation.

Puis plus un mot. Maxime, penché vers l'avant, les coudes appuyés sur ses genoux, observe silencieusement la rue derrière la fenêtre refermée.

— Maxime ?

— Chut ! intime alors Maxime, avec une pointe d'agacement dans la voix. Il y a quelqu'un en bas. On pourrait nous entendre…

Sidéré, Sébastien n'ose bouger. Voilà donc pourquoi son père le mettait en garde ! Maxime ne ressemble en rien au jeune frère dont il gardait le souvenir. Ni même à l'adolescent croisé en ville, il y a deux ans, et qui l'avait interpellé avant que Sébastien ne se décidât à faire la sourde oreille et fuir comme un voleur en se mêlant à la foule. Jamais regret n'aura été si vif ! Pourquoi avoir fui ? Peut-être bien que si Sébastien avait répondu à son appel, Maxime n'en serait pas là aujourd'hui. Peut-être que… Sébastien soupire. Encore des questions sans réponses, des suppositions.

Assis en retrait de la fenêtre, Maxime continue de fixer la rue comme si Sébastien n'existait pas. Une ride profonde sillonne entre ses sourcils et, le cœur serré, Sébastien découvre que son frère est bourré de tics nerveux. Son nez se fronce à toutes les secondes, ses sourcils se soulèvent et son cou s'étire avant que le manège ne recommence aussitôt. Comprenant que son frère a probablement oublié sa présence, s'obligeant à faire taire remords et regrets, Sébastien fait un pas dans la pièce encombrée et en désordre qui, visiblement, sert de salon, cuisine et chambre à coucher tout à la fois. D'une voix très douce pour ne pas l'effaroucher, il demande :

— Viens t'asseoir, Maxime. Il me semble qu'on a des milliers de choses à se dire.

De nouveau, silence. Maxime plisse le visage, étire le cou, soupire comme devant un enfant qui ne veut pas comprendre. Puis, la voix toujours aussi impatiente :

— Pas le temps ! Faut que je surveille la rue, explique-t-il en lui jetant un regard furtif avant de reprendre la pose.

À ces mots, au regard de Maxime qui, à la fois inquiet et trouble, ressemble étrangement à celui dont il se rappelle si bien, celui de leur mère, Sébastien comprend brusquement tout ce que son père a cherché à lui dire. Cette hérédité probable, ces inconnus aussi qui le cherchent. L'esprit de son frère sis entre réalité et chimères… Comment parle-t-on à quelqu'un qui n'écoute pas ? Comment s'adresser à celui dont l'esprit est faussé par quelque déformation par rapport à la réalité ? Sébastien ne sait pas. Alors, se fiant à la seule ressource qui peut peut-être encore exister entre eux, puisant à même leurs souvenirs d'enfance et l'amour inconditionnel qu'il a toujours eu pour son frère, Sébastien lui tend la main.

— Laisse tomber la rue, Maxime. Je suis là. Il ne peut rien t'arriver.

Sébastien a l'impression que le temps suspend son cours. Lentement, très lentement, Maxime détourne les yeux avant de lever la tête vers Sébastien. Curieusement, les tics sont moins fréquents. Le visage est calme. Seul le regard reste celui d'un petit animal inquiet.

— Tu crois? demande alors Maxime d'une toute petite voix.

Mais avant que Sébastien ne puisse répondre, le grondement du tonnerre se fait entendre. Maxime sursaute vivement et reporte les yeux vers la rue. Un tressaillement démesuré devant le faible roulement venu de loin, deux mains qui tremblent avant de s'enfouir dans les poches. Sébastien sent son cœur se serrer. Un geste, et il vient de retrouver son frère, le petit Maxime qui tremblait dès que l'orage s'annonçait. C'est donc du plus profond de son cœur que la répartie de Sébastien fuse:

— N'aie pas peur, Maxime. Tu sais que je suis capable de faire reculer les orages. Viens, on va compter ensemble entre les coups de tonnerre et l'orage va s'éloigner.

De nouveau, Sébastien retient son souffle, espérant que ces mots tirés de leur vocabulaire d'enfant sauront le toucher, sauront se frayer un chemin dans le dédale de ses pensées obscures. Maxime est immobile, les sourcils froncés, toujours sans tics nerveux. Puis il lève la tête vers Sébastien. Cette fois-ci, le regard est clair. À un point tel que Sébastien se demande s'il ne vient pas de rêver tout ce qui vient de se passer. «Comme une éclaircie entre deux nuages» pense aussitôt Sébastien. Enfin son frère est là, de corps et d'esprit. Maxime s'est relevé, a repoussé la chaise et vient vers lui.

— Sébastien, fait-il alors d'une voix normale en lui tendant les bras. Je savais bien qu'un jour tu viendrais me chercher.

Le tonnerre se rapproche. Les éclairs sont violents et la pluie commence à tomber en cascades contre les carreaux sales de la fenêtre. Sébastien sent son frère qui tremble.

— Aide-moi, Sébas. J'ai peur.

C'est l'homme qui appelle à l'aide, mais Sébastien entend l'enfant. Son petit frère l'appelle. Il a peur des orages, il craint cet homme qui est leur père et c'est à lui que Sébastien doit le conduire. Pendant un long moment, les deux frères restent enlacés, leurs visages inondés de larmes. Puis Maxime se dégage et, regardant tout autour de lui, il lance:

— Vite, aide-moi à faire mes bagages, Sébas. Il faut qu'on parte d'ici avant qu'ils ne reviennent. Ils sont là et nous surveillent.

Pourtant, en bas, la rue est déserte. Sébastien n'ose demander de qui Maxime a peur. L'esprit de son frère est pris dans les filets de l'enfance et il a peur. C'est tout. Et cela suffit pour que Sébastien se sente fort, capable de repousser les ennemis, réels ou pas.

Tout en parlant, Maxime se tord les mains d'inquiétude, regarde autour de lui sans jamais fixer son regard, incapable de commencer ses bagages.

Et les tics nerveux sont tous revenus…

TROISIÈME PARTIE

Automne 1997

Chapitre 8

« Les années qui passent ne reviendront jamais [...]
Et le temps passe vite, très vite [...]
Ne laisse pas la vie avaler tes rêves. »

Conseil donné par Jérôme à François au printemps 1995

Laurence a déjà dix mois. Rieuse, facile... toujours en mouvement à explorer le monde !

— C'est un vrai petit bolide, lance souvent François, amusé, surpris chaque fois qu'il voit sa fille détaler comme un lièvre quand il vient pour la prendre dans ses bras. Et indépendante à part ça !

François adore sa fille !

Tout comme Marie-Hélène qui, d'un commun accord avec son mari, a décidé de ne pas reprendre le travail.

— Ça passe si vite, François ! Trop vite... J'ai l'impression que dans le temps de le dire Laurence sera déjà une petite fille et que le bébé aura disparu. J'aimerais en profiter. La voir vivre et découvrir le monde, c'est fascinant ! Je veux qu'elle dise ses premiers mots avec moi et je veux être là pour soutenir ses premiers pas. Est-ce que tu me comprends ?

Et François comprend. Ils savent l'un comme l'autre, sans même en avoir parlé directement, qu'ils n'auront pas la chance de revivre ces beaux moments avec un autre enfant. Ils ont tenté le destin une fois et ils ont gagné. Mais à quel prix ! Ils ne recommenceront pas. Laurence déborde de santé, de vitalité et, pour eux, il s'agit du plus beau cadeau que la vie pouvait leur offrir. Ils s'en contenteront.

— Je suis d'accord avec toi, Marie. Laurence a besoin de sa maman. Tant pis pour les sous, tant pis pour la maison qu'on aimerait s'acheter.

Regardant tout autour de lui, il constate :

— On n'est pas si mal ici. Il y a le parc, toutes sortes de commodités... Et comme je commence mon nouvel emploi le mois prochain, elle va pouvoir profiter de son papa aussi. Enfin, je vais avoir des horaires réguliers ! Finalement, avec le recul et la présence de cette adorable jeune fille, il n'y a que Louise et Michel qui vont trouver le changement difficile.

Il répète souvent cette phrase et Marie-Hélène comprend que derrière les apparences François trouve difficile de quitter la rue.

Il en a reporté l'échéance tant qu'il a pu. Car il ne se sent ni malade ni fatigué. Hormis l'impressionnante quantité de pilules qu'ils doivent avaler, la maladie ne laisse pour l'instant aucun signe visible, sinon, parfois, une grande fatigue qu'ils arrivent encore à contrôler. Pourquoi se presser ? Une offre d'emploi à la rubrique « Carrières et Professions » un samedi matin a précipité les choses.

— As-tu vu, François ? Ils cherchent un travailleur social dans un centre d'accueil. Qu'est-ce que t'en penses ?

— On peut toujours essayer.

C'est sa candidature qui a été retenue. Et voilà, c'était fait... Il y a eu une espèce de flottement dans la vie de François après la réception de la lettre de confirmation. Un flottement et un mouvement de révolte. François savait qu'il ne voulait pas quitter la rue. Pourtant son médecin était formel :

— C'est jouer avec le feu, François !

— Oui, et après ?

Au cours d'une longue fin de semaine, François avait promené sa mauvaise humeur et ses indécisions à travers l'appartement. Un sourire de Laurence, accrochée au bord de son jeans pour s'assurer d'un équilibre précaire, la tête levée vers lui avec confiance, avait eu raison de quelques réticences. Il n'était plus seul dans la vie. Il y avait Marie-Hélène et Laurence. Il avait pris Laurence dans ses bras et l'avait serrée très fort contre lui. La petite riait de bon cœur, ravie qu'on s'occupe d'elle. S'il n'apportait pas ces changements pour lui, il allait le faire en pensant à sa femme et à sa fille. Et de gaieté de cœur en plus ! Mettre toutes les chances de leur côté pour que le bonheur d'aujourd'hui dure le plus longtemps possible.

Facile à dire quand on est samedi matin et qu'il fait beau. Quand on est en congé et que l'amour de notre vie nous fait sentir important. Dès le lundi suivant, François s'était vite aperçu que pour lui, cela n'allait pas de soi. Il avait les trottoirs de Montréal tatoués sur le cœur!

C'est la gorge serrée qu'il avait annoncé son départ prochain. Meurtri par la réaction de sa mère, François n'avait rien dévoilé des raisons véritables qui avaient provoqué cette décision. Il s'était contenté de rappeler à ses confrères à quel point il était fatigué quand venait le printemps.

— Souviens-toi, Michel! C'est toi qui me disais l'an dernier que le boulot était peut-être trop exigeant pour moi.

— C'est vrai, avait alors admis son ami dans un soupir, un peu à contrecœur. Mais de là à te voir partir. C'est moche parce qu'on faisait une bonne équipe tous les trois.

— Je sais.

Pendant un moment, François avait porté les yeux sur le petit coin de ciel bleu que lui offrait la grande fenêtre au fond de la salle leur servant à la fois de bureau, de salle de réunion et de cafétéria. Le premier jour où il y était entré, il avait eu un véritable coup de foudre pour cette petite pièce encombrée de paperasse, de tasses de café à moitié bues, enfumée par les cigarettes que Michel allumait les unes à la suite des autres. Tout de suite, François s'était senti chez lui ici. Un beau rêve se concrétisait! Et voilà qu'il devait tracer un trait sur tout cela. C'est vraiment en annonçant son départ à Michel que François avait senti viscéralement que sa vie se scindait en deux. Dorénavant, il y aurait avant et après. Jusqu'à maintenant, malgré l'annonce de sa maladie, la naissance de Laurence, les ajustements qu'ils avaient dû apporter à leur quotidien, Marie-Hélène et lui, la vie semblait tout de même une continuité. Il n'avait pas eu le choix de s'ajuster, les événements s'emboîtant les uns aux autres rapidement, sans la moindre possibilité de modification. Mais aujourd'hui, c'était un geste volontaire qu'il posait. Un geste dont il se rappellerait longtemps parce que c'était vraiment ce qu'il avait toujours voulu faire, être travailleur de rue...

— Vous allez me manquer, avait-il alors dit en se tournant vers Michel. Beaucoup.

Michel avait soutenu son regard, silencieusement, avant d'allumer une cigarette à même celle qu'il tenait entre ses doigts. François n'avait rien dit, mais Michel avait compris que le choix n'était pas facile à faire. Pour quelle raison, Michel l'ignorait. Et cela ne le regardait pas. L'amitié qu'il éprouvait pour François depuis toutes ces années suffisait à ce qu'il respectât son choix. Sans quitter François des yeux, Michel avait tiré une longue bouffée de sa cigarette, lui avait souri puis ils étaient passés à autre chose...

C'est dans trois semaines que cette partie de vie sera derrière François. Quand il regarde Laurence, il arrive à se convaincre qu'il a fait le bon choix. Pour cette petite bonne femme, il va délibérément s'enfermer dans un bureau pour les prochaines années, lui qui s'était juré de vivre au grand jour, dehors.

— Je t'aime, François!

Il se détourne de la fenêtre où il regardait les passants sans les voir. Marie-Hélène est près de lui. Alors il passe un bras autour de ses épaules, l'attire devant la fenêtre.

— Regarde comme il fait beau! J'aime les rues de Montréal à l'automne quand les parcs sont colorés et le soleil encore chaud.

À ces mots, la jeune femme comprend que les propos de François vont bien au-delà des arbres rougeoyants et du soleil d'octobre qui s'y mire.

— Ça va te manquer, n'est-ce pas?

— Terriblement, avoue François en soupirant. J'avais vraiment l'impression d'être fait pour ce travail-là. Alors que maintenant...

Il laisse sa phrase en suspens tout en resserrant son étreinte autour des épaules de Marie-Hélène. Celle-ci niche sa tête dans le creux de son cou.

— Qu'importe l'endroit où nous nous trouvons, François... L'important, c'est d'avoir la conviction que ce que nous faisons, nous le faisons de notre mieux. Le plaisir de travailler, c'est à l'intérieur de soi qu'on le trouve, pas dans le décor qui nous entoure. Tous les deux, à notre façon, nous avons choisi un travail qui permettait d'aider les autres. Moi avec mes petits enfants sourds et toi avec les jeunes de la rue. Et en cela, ce nouveau boulot va dans le sens que tu avais décidé de donner à ta vie. Tu vas continuer à aider les jeunes. Et peut-être bien que ceux que tu vas croiser ont encore plus besoin de toi.

Pendant un long moment, François laisse les paroles de Marie-Hélène faire leur chemin en lui. Puis il penche la tête et l'embrasse sur le front.

— À défaut de dire que tu as raison, fait-il en souriant, je dirais que tu n'as pas tort… Une légère nuance qui me permet de rester grognon encore un peu…

Marie-Hélène lui rend son sourire.

— D'accord. Tu as le droit d'être grognon jusqu'à ce soir. Mais après… lance-t-elle en le menaçant d'un index autoritaire.

À cet instant, Laurence décide que la sieste a assez duré. Un cri véhément leur parvient jusqu'au salon, clair et colérique. Sur un regard complice, Marie-Hélène se dégage légèrement de François.

— Après le dîner de sa majesté, que dirais-tu d'une longue promenade à travers les rues de Montréal, François ? Laurence est bien la fille de son père ! Rien ne lui fait plus plaisir que de se faire promener dans sa poussette. Qu'est-ce que tu en penses ?

Alors François se penche vers elle et l'embrasse de nouveau.

— Je dirais que le papa de Laurence aime bien promener sa fille dans les rues de Montréal. Rien ne saurait lui faire plus plaisir par une si belle journée !

Et c'est ainsi que la transition se vit pour François. Dès que la température le permet, la petite famille se précipite à l'extérieur et profite des dernières belles journées de la saison. François fait découvrir un tout autre visage de la ville à Marie-Hélène. À l'occasion, ils croisent des jeunes que François connaît bien et tout heureux, il présente sa fille qui sert d'alibi à son nouveau travail.

— Avec un bébé, c'est plus facile d'avoir un horaire régulier, répond-il invariablement quand les jeunes lui demandent ce qu'il devient.

Et quand Vincent, un jeune qu'il a aidé à reprendre pied dans la vie, lui dit:

— C'est correct, ça, de penser à ta fille en premier. P't-être ben que si j'avais pas été élevé avec la clé dans le cou j'aurais jamais pensé à faire les conneries que j'ai faites. C'était plate en estie de se retrouver toujours tu-seul à maison quand j'étais p'tit. Fait que j'étais plus souvent avec la gang dans ruelle que chez nous...

François comprend alors que sa maladie l'a obligé à faire le bon choix. Aujourd'hui, sa priorité, c'est Laurence. Et comme le lui avait dit Marie-Hélène, il a déniché à l'intérieur de lui un petit coin qu'il ignorait. Les jeunes qu'il côtoie aujourd'hui, pour la majorité d'entre eux, ont été profondément blessés par la vie. Et l'attitude qu'ils ont adoptée n'était pas nécessairement la bonne. François fait dorénavant partie de ceux qui peuvent les aider à ajuster leur vue sur le monde. Se choisir des priorités, des valeurs et s'y accrocher... Et lorsque, un matin de novembre, la fenêtre de leur chambre lui offre la vue désolante d'une journée détrempée, les rigoles de pluie dessinant des ruisseaux sur la vitre, il admet à Marie-Hélène en souriant, le doigt pointé vers la fenêtre:

— Ça, vois-tu, c'est un aspect dont je ne m'ennuie pas. Mais alors là, pas du tout. Comme quoi chaque médaille a deux côtés.

Marie-Hélène l'entend siffler sous la douche... une vieille chanson de Frank Sinatra! Depuis quelque temps, François s'est curieusement découvert un véritable engouement pour les vieilles chansons. Aznavour, Piaf, Crosby... Allez donc savoir pourquoi! Marie-Hélène s'était posé la question, y avait longuement réfléchi puis avait conclu que peut-être cette nouvelle lubie n'était qu'une sorte de réponse à sa maladie qui n'existait pas dans ces années-là. Sa façon à lui de défier la maladie. Soumise à une curieuse pudeur, elle n'avait osé aborder le sujet avec François. Faussant terriblement, ce dernier n'en siffle pas moins avec une conviction sincère!

— Comme quoi, murmure Marie-Hélène en s'étirant, un sourire moqueur sur les lèvres, on finit toujours par s'habituer à tout.

C'est alors que la portée de cette réflexion la frappe de plein fouet. « Oui, on s'habitue à tout, songe-t-elle en se recroquevillant sous les couvertures, subitement frileuse. On s'habitue même à la maladie… C'est à peine si j'y pense en prenant mes pilules. C'est vrai qu'on ne ressent rien de particulier. Pas pour l'instant » ajoute-t-elle intérieurement, un vertige trop bien connu lui soulevant l'estomac et lui faisant débattre le cœur.

Serrant les paupières très fort sur cette désagréable sensation, elle s'oblige à chasser toute pensée indésirable, prend une profonde inspiration et repousse les couvertures d'un coup de pied volontaire.

— Pas de pensée sombre aujourd'hui, confie-t-elle aux oreillers. La température se suffit à elle-même. Profitons de ce que mademoiselle Laurence dort encore pour s'offrir un bon café en toute tranquillité…

Accordant sa voix aux sifflements de François, elle saute en bas du lit et se dirige vers la cuisine en chantonnant. Elle aime ces journées froides, grisâtres et sombres qui font sentir l'appartement confortable. Marie-Hélène, alors, a l'impression d'être dans un cocon douillet et que rien, jamais, ne pourra les atteindre…

— Après avoir mis le café en branle, je pars une bonne flambée, annonce-t-elle aux murs de la cuisine. Laurence adore regarder les flammes danser dans l'âtre... et moi aussi.

C'est sa nouvelle philosophie : faire de chaque petit bonheur une grande joie. Au jour le jour, sans penser au lendemain.

* * *

Si à Montréal il tombe une pluie diluvienne, en Beauce, c'est un curieux mélange qui s'abat sur la campagne.

— On dirait des gouttes de JELL-O, lance Cécile en ouvrant de grands yeux, un pan du rideau de dentelle de la fenêtre de cuisine retenu du bout des doigts.

Puis elle fait la grimace.

— Pouah ! Un temps à ne pas mettre un chien dehors.

Et, se tournant vers Jérôme qui vient tout juste d'arriver et qui lève l'interrupteur pour faire un peu de lumière dans la pièce assombrie par l'orage, elle demande :

— As-tu vu le temps, ce matin ? Un vrai désastre ! Crois-tu que c'est prudent de prendre la route avec un déluge pareil ?

Jérôme hausse les épaules tout en approchant de la fenêtre à son tour. Puis il pousse un bref soupir.

— Tu sais... S'il faut s'arrêter au moindre caprice de la température, on ne ferait pas grand-chose au Québec !

Puis il se retourne et va au comptoir pour mettre la cafetière en marche.

— Non, je ne crois pas que ce soit dangereux, poursuit-il en mesurant le café. Regarde la rue ! Le sol n'est pas encore gelé et la gibelotte qui nous tombe sur la tête fond dès qu'elle touche la chaussée.

Cécile est à moitié convaincue.

— N'empêche, hésite-t-elle encore...

Elle reporte ensuite les yeux sur le paysage détrempé. Le potager dégarni ressemble à un marécage.

— Désolant, constate-t-elle.

Elle laisse retomber le rideau et rejoint Jérôme près du comptoir pour mettre le pain à griller..

— On ne sait jamais, en novembre, poursuit-elle dans la même veine. On pourrait peut-être demander au médecin de passer ici plutôt que...

— Tu sais ce que ma mère pense de ça, interrompt aussitôt Jérôme. Elle ne veut pas être traitée en malade et tant qu'elle sera capable de se déplacer, même avec de l'aide, ça contribuera à garder son moral au beau fixe... Ça va la garder en vie ! Et comme ses jambes lui font de plus en plus mal et que ça nous a pris plus d'un mois pour avoir ce fichu rendez-vous...

Cécile soupire, contrariée. C'est que Jérôme n'a pas tort !

— C'est vrai qu'elle aime bien ces petites visites au village...

Puis elle fait la moue.

— D'accord, concède-t-elle, toujours hésitante. Mais promets-moi d'être bien prudent.

— Promis, ma douce. Pas de vitesse, pas de cascades!

— C'est ça, moque-toi…

— Jamais je n'oserais, conclut-il, un large sourire illuminant son visage.

Puis, baissant le ton parce qu'il entend le pas traînant de la vieille dame qui approche de la cuisine, il ajoute:

— Profites-en pour lire un peu. Je sais à quel point une vieille madame comme maman peut être exigeante parfois. Si on met tous ses petits caprices bout à bout, il ne reste pas grand temps pour toi.

— J'aime pas ça entendre chuchoter quand j'arrive, Jérôme!

Appuyée sur sa marchette mais les épaules toujours fières, Mélina se tient dans l'embrasure de la porte.

— J'ai toujours l'ouïe aussi fine, tu sauras, mon gars. C'est mes jambes qui ont des problèmes, pas mes oreilles. Pis chus peut-être vieille, âgée comme vous dites pour être polis, mais chus pas gâteuse pour autant. Ça fait que j'vois ben que j'dérange. Me semble qu'on en avait déjà parlé pis que j'ai dit que j'aimais justement pas en parler…

Tournant la tête vers Cécile, d'un ton qu'elle veut plus doux mais qui tombe raide comme les coups d'un tambour, Mélina ajoute:

— Excuse mon retard d'à matin, Cécile, mais j'ai fait un drôle de rêve... J'ai vu Gaby près de moi. Y'était là comme j'te parle! Pas comme ça m'arrive d'habitude dans des rêves de fous qu'on sait que c'est juste un rêve. Non, là, c'était pas pareil. Y'était là, à côté de moi pis y parlait pas. Y'était juste là comme on l'a souvent fait, tous les deux, sur la galerie à regarder le champ pis l'érablière dans l'fond, là-bas... C'était tellement vrai que j'ai tendu l'bras quand je me suis réveillée pour y toucher pis que ça m'a pris une couple de menutes pour m'apercevoir que j'avais rêvé…

Sur ces mots, reportant les yeux sur Jérôme, elle laisse tomber dans un soupir:

— Bonyenne que j'm'ennuie de ton père, Jérôme. J'me demande ben c'que le bon Dieu a pensé en m'oubliant ici aussi longtemps après lui… Astheure, faut manger!

Puis, sur un ton guilleret :

— C'est ben à matin qu'on va chez l'docteur, non ?

Tout excitée à la pensée d'un petit tour au village, Mélina se hâte vers la table de son petit pas traînant...

Dans le fond, rusée et un brin toquée, Mélina en est fort consciente, ce n'est que pour cela qu'elle refuse que Cécile lui prescrive des médicaments : elle aime tellement retourner au village de temps en temps !

Peu rassurée par les propos de Jérôme, Cécile est restée à la fenêtre pour les regarder partir.

— Pauvre Cécile, lance Jérôme. Je crois bien que ça l'inquiète de nous voir prendre la route avec ce curieux mélange de pluie et de neige qui nous tombe sur la tête depuis ce matin, fait-il en levant le bras pour la saluer une dernière fois avant d'engager l'auto sur la route du rang.

Mélina, le nez à la fenêtre elle aussi, hausse les épaules.

— Bof ! Tu connais ta Cécile, non ? Elle a ben des qualités, mais elle s'inquiète toujours pour un oui pis pour un non. Voir si par chez nous, on arrête de bouger quand y fait pas beau !

— C'est en plein ce que je lui ai dit... N'empêche qu'on n'y voit pas grand-chose... Fichu pays, oui !

Un bref silence envahit l'intérieur de l'auto alors qu'on n'entend que le bruit des essuie-glaces qui fonctionnent à plein régime.

— C'était-y pareil le temps en France ? demande finalement la vieille dame sans quitter le paysage des yeux.

— Moins froid peut-être, mais aussi humide. Et de la pluie, en veux-tu en v'là ! Enfin, dans la région où j'habitais. C'était dans l'ouest de la France, maman, près du même océan que celui qui mouille la Gaspésie, l'océan Atlantique.

— Ah oui ? Eh ben ! Parle-moi encore de là-bas, Jérôme. J'aime ça.

— Qu'est-ce que je peux en dire, maman, que tu ne sais déjà ? C'était un pays de pommes où je vivais. Un pays qui sentait les pommes à l'année. Surtout dans le vieux monastère où j'habitais. Un monastère qui avait été construit dans les années...

Et Jérôme de reprendre l'histoire de toutes ces années vécues en France après la guerre. L'histoire de sa vie qu'il a racontée à maintes et maintes reprises, et que Mélina écoute chaque fois avec des étoiles d'envie dans le regard et un silence religieux, elle qui habituellement ne se gêne nullement pour interrompre les gens.

— J'ai l'impression de voyager quand tu m'parles des vieux pays, confie-t-elle au moment où Jérôme se tait. Parce qu'à part la ville de Québec, j'ai pas vu grand-chose dans ma vie. Te rends-tu compte ? J'ai même pas vu Montréal… Ça a quasiment pas d'allure.

Jérôme dessine un sourire tendre malgré ses sourcils froncés pour voir la route et, subitement inspiré, il propose :

— Et si on y allait ?

— Où ça ? À Montréal ?

Mélina n'en croit pas ses oreilles. Le temps de tourner les yeux vers Jérôme pour être bien certaine qu'il ne se moque pas, puis elle remet le nez à la fenêtre du passager pour ne rien manquer du paysage qui défile et pour cacher l'émotion un peu puérile qui fait briller ses yeux.

— À Montréal ? Moi ? T'es ben sérieux quand tu dis ça ?

— Pourquoi pas ? On a suffisamment de parenté pour nous héberger pendant quelques jours. Et avec une chaise roulante, on pourrait visiter la ville.

La vieille dame a joint les mains à hauteur du cœur pendant que son fils échafaudait le projet.

— Oh oui ! fait-elle d'une petite voix méconnaissable, un peu tremblante. Si tu savais comme ça me ferait plaisir. J'pourrais aller prier à l'Oratoire. Pis voir le mont Royal et aussi le Jardin botanique. Paraît que c'est beau en pas pour rire, le Jardin botanique. Pis on pourrait voir la petite Laurence aussi. J'sais pas ce qui s'est passé le jour de ta fête, mais François pis sa p'tite famille sont partis assez vite merci que j'ai même pas eu l'temps de l'embrasser, la p'tite. Pis on les a pas revus depuis.

— Je sais, admet Jérôme, pensif après un bref silence… Moi aussi je m'ennuie de la petite Laurence. Elle doit avoir encore beaucoup grandi. Ça lui fait quoi, là? Presque un an, non? Et sais-tu ce que Cécile m'a dit, justement le jour de ma fête, à propos de Laurence?

— Question idiote, Jérôme! Comment veux-tu que je le sache!

Jérôme ne peut s'empêcher de rire au ton rêche employé par sa mère qui a tout à fait raison. Un ton tellement bourru, à nul autre pareil, dans les moments de grande tendresse comme dans les moments d'impatience, que même après des années d'absence, il n'avait qu'à fermer les yeux pour l'entendre sonner à ses oreilles.

— Cécile m'a dit que Thérèse trouvait que Laurence ressemblait à Dominique comme deux gouttes d'eau quand elle était bébé. Tu ne trouves pas que c'est un beau cadeau de la vie, ça? Après avoir tant et tant rêvé de notre petite fille qu'on n'avait pas vue à la naissance, voilà qu'on a la chance de la voir grandir... Enfin, c'est un peu ça.

— Je l'ai toujours dit, Jérôme. Pis là-dessus, Cécile est ben d'accord avec moi : faut toujours faire confiance. Toute finit toujours par s'arranger. Même si des fois, on dirait ben que c'est le contraire qui se produit. C'est juste que nous autres, on voit pas plus loin que le bout de not'nez tandis que Lui, en haut, y voit pas mal plus loin. Tu penses pas, toi?

Un bref silence puis une respiration bruyante en guise de réponse. Pas vraiment patiente de nature, Mélina insiste.

— Hé, Jérôme! J'te parle... La route est-y mauvaise à ce point-là? Tu penses pas, toi, que l'bon Dieu y...

Tout en parlant, Mélina s'est détournée de la fenêtre et porte les yeux sur son fils. Elle blêmit d'un coup.

— Oh non! Hé Jérôme, dis de quoi, bonyenne! Mais qu'est-ce qui s'passe?

La tête appuyée contre le dossier de la banquette, les mains crispées sur le volant, le teint cireux, Jérôme fixe la route sans bouger.

— Seigneur Jésus, mais qu'est-ce qui se passe? Hé Jérôme, parle, réponds-moi... Mais qu'est-ce que j'peux faire?

Envisageant le pire, un vent de panique lui fait palpiter le cœur. Jamais elle n'a vu son fils aussi blême.

— Pars pas comme ça, Jérôme. Pas tout de suite.

Puis la colère prend le dessus. Pendant une fraction de seconde, Mélina lève les yeux au plafond.

— C'est quoi l'affaire, Vous là ? Vous êtes toujours ben pas pour v'nir chercher mon gars avant moi ?

La voiture avance en zigzaguant sur la chaussée de plus en plus glissante jusqu'au tournant devant la maison de campagne des Gendron, absents à ce moment de l'année. Rassemblant ses maigres énergies de vieille dame, Mélina détache sa ceinture, se penche vers l'avant pour soulever la jambe de Jérôme, toujours appuyée sur l'accélérateur.

— J'y connais pas grand-chose mais ça devrait arrêter, non ? marmonne-t-elle. Jérôme, réponds-moi ! Gaby, laisse-nous pas tomber. Fais de quoi…

L'auto ralentit. Sans rien y connaître, Mélina empoigne le volant et le tourne sur la droite. Tout doucement, comme dans un rêve, la voiture tourne, elle aussi, et descend l'entrée en pente qui mène vers la maison avant d'aller buter contre un arbre, tout près de la galerie. Toujours penchée vers l'avant, ayant de la difficulté à se redresser, Mélina n'a rien vu. C'est en réussissant finalement à se relever qu'elle comprend que tout danger est passé. Tout danger d'avoir un accident plus grave. Un curieux chuintement s'échappe du capot replié sur lui-même, mais rien de plus. L'auto est enfin immobile. Mélina pousse un soupir de soulagement. Son cœur bat à tout rompre, elle a les mains tremblantes mais elle est un peu plus rassurée. Jérôme, quant à lui, n'a pas bougé d'un iota. Inconscient, il a toujours les mains sur le volant même si Mélina l'a fait tourner, et son regard est aussi fixe que tout à l'heure sous ses paupières presque fermées. Aussitôt, pour avoir aidé ses nombreux voisins au fil des ans, pour avoir assisté le médecin de la paroisse auprès de plusieurs mourants, Mélina comprend que Jérôme vient d'avoir une attaque. Et que c'est grave. Seule la respiration laborieuse de son fils la rassure, confirmant qu'il est toujours vivant.

— Ça nous apprendra à nous moquer des inquiétudes de Cécile, murmure-t-elle avec des trémolos dans la voix. Elle devait le sentir. Ils s'aiment tellement ces deux-là. Mais ça me dit pas quoi faire, par exemple. J'peux pas laisser Jérôme comme ça ben longtemps. Y'a besoin d'aide pis vite à part ça…

Malgré ses jambes douloureuses et peu stables, Mélina arrive à sortir de la voiture et se dirige vers la maison.

— Peut-être ben que l'téléphone…

Tout en marchant à petits pas, sans aide, elle arrive jusqu'au perron, en monte difficilement les marches, se retourne aux deux secondes pour jeter un coup d'œil sur Jérôme qui ne bouge toujours pas.

— Au moins, je l'entendais respirer, se dit-elle à voix basse pour s'encourager. Pis si mon Jérôme respire de même, c'est signe que l'cœur pis les poumons tiennent bon!

Elle arrive enfin en haut du court escalier avec un soupir de soulagement. La pluie continue de tomber, les arbres craquent sous le vent froid de novembre. Un long frisson secoue le corps frêle de la vieille dame alors qu'elle s'appuie sur une chaise de bois, un peu bancale, qui l'aide tout de même à faire les quelques pas qui la séparent du seuil de la maison. Contre toute attente, le battant n'était pas barré et il cède facilement sous sa faible poussée. À l'intérieur tout est sombre, et cela prend quelques instants pour que la vue de Mélina s'adapte. Puis elle repère un téléphone sur le bout du comptoir.

— Ouais!

Bref instant d'euphorie. Dès qu'elle porte le combiné à son oreille, Mélina comprend que le service a été interrompu pour l'hiver.

— J'aurais dû m'en douter. Y'a ben juste dans les vues que ça marche comme sur des roulettes. Mais qu'est-ce que j'peux faire?

Au même instant, un bruit de frottement la fait se retourner puis pousser un petit cri de surprise.

— Jérôme! Mais veux-tu ben m'dire c'que tu fais là?

Une main sur la poitrine, Jérôme arrive à faire un pas, puis un autre, puis un troisième. Très lentement, péniblement, comme si chacune de ses jambes pesait cent kilos.

— Qu'est-ce... Je ne me rappelle rien. Tout est noir. Tout...

La voix de Jérôme est grave, gutturale, portée par un souffle court et bruyant. Puis, d'un coup, il s'affale sur le sol, de nouveau inconscient. Le bruit de sa chute se répercute sur les murs, immense, et atteint Mélina directement au cœur. Son Jérôme, son fils, si grand et si fort, là, gisant sur le plancher froid d'une maison inconnue. Hostile. Regardant autour d'elle, Mélina comprend vite qu'elle ne peut rien faire. Qu'il n'y a rien à faire que d'attendre. La route menant au chemin est beaucoup trop longue pour ses jambes et Jérôme est trop lourd pour qu'elle puisse espérer le soulever. Repérant une couverture sur le dossier d'une chaise, Mélina vient l'étendre sur Jérôme qui bloque l'entrée et l'empêche de refermer la porte. Un petit vent sournois s'infiltre sous son manteau et la fait frissonner de nouveau. Frisson de froid, d'inquiétude, de lassitude. Sa petite marche à l'extérieur, seule sur le sol glissant, l'a épuisée. Revenant péniblement sur ses pas, Mélina se laisse tomber sur la chaise, une main contre son cœur pour l'empêcher de sortir de sa poitrine, car c'est vraiment l'impression qu'elle a tellement il bat à tout rompre, et de l'autre main, elle referme les pans de son manteau pour tenter de se réchauffer et de contrôler ses tremblements.

— On aurait été ben mieux de rester dans l'auto, murmure-t-elle, amèrement déçue. Y faisait pas mal plus chaud. Comme quoi à vouloir faire mieux, on fait pire.

Curieusement, et de façon très claire, Mélina entend la voix de sa mère la mettant en garde lorsqu'elle cherchait à toujours vouloir aider. Mélina n'était qu'une enfant. Elle revoit sa mère, une femme très grande, imposante, autoritaire mais tendre en même temps.

— Laisse porter, Mélina... À vouloir faire mieux, on fait pire.

Oui, sa mère répétait souvent cette phrase. Curieux de s'en rappeler aussi clairement. D'un geste impulsif, Mélina essaie de refermer son manteau encore plus étroitement sur sa poitrine.

— Bonyenne que chus gelée, murmure-t-elle les lèvres asséchées par tous les efforts qu'elle a dû déployer. Pis pour rien…

Et tout à coup, debout à côté de sa mère, Gaby est là, près d'elle.

— Gaby ! Si tu savais comme je suis contente de te voir, s'entend-elle murmurer.

Tout doucement, Mélina se sent glisser vers le sommeil. Son cœur est plus sage, sa respiration facile. Ses jambes sont redevenues légères comme à vingt ans et elle n'a plus froid.

— Faudrait aider Jérôme, Gaby, murmure alors la vieille dame assise dans la chaise. Pis prévenir Judith qu'on est là. Peut-être que notre fille pourrait nous aider, elle. Judith est encore jeune. Pis en bonne santé. Te rappelles-tu, Gaby, quand on a appris que j'attendais Judith ? Ça faisait vingt ans qu'on espérait ça. Te rends-tu compte ? Vingt ans !

Mélina voit très bien la vieille dame qui murmure comme elle voit aussi l'homme qu'elle appelle Jérôme, étendu sur le sol glacé d'une maison abandonnée pour l'hiver. La porte, balancée par le vent, s'ouvre et se ferme en grinçant, butant chaque fois sur les pieds de l'homme étendu sur le plancher.

— Faut pas laisser Jérôme tout seul, Gaby, murmure encore la vieille dame dans la berceuse. Toi, tu peux prévenir Judith, non ?

Alors la main de Gaby se glisse dans la sienne pour la rassurer. Si Gaby est là, Mélina peut s'en remettre à lui. Il règle toujours tout, Gaby. Et Mélina se sent tellement fatiguée. La pression de la main de Gaby se fait plus insistante, le sourire de sa mère l'invite au repos. Alors, tout doucement, Mélina sent qu'elle peut se laisser aller au sommeil. Un sommeil léger, léger, léger…

Incapable de lire tant elle est inquiète, Cécile a promené ses pas désœuvrés d'une fenêtre à l'autre, espérant elle ne savait trop quoi. Peut-être une accalmie, un trou dans les nuages. Mais le ciel, obstinément bouché, lui renvoie sa désolation. Le bruit de la sonnerie du téléphone la fait sursauter. Ce n'est que la clinique, demandant si madame Mélina Cliche a toujours l'intention de se rendre au rendez-vous malgré la température maussade.

— Certainement! Elle vient tout juste de quitter la maison.

Comme si ce bref contact avec le monde extérieur avait un pouvoir quelconque, Cécile sent son anxiété baisser d'un cran après l'appel de la clinique. Elle réussit même à lire quelques pages de son roman. Mais le second appel de la clinique la ramène brusquement à la case départ.

— Vous êtes bien certaine qu'ils sont en route?

Regard machinal vers sa montre-bracelet et tout de suite, son cœur se met à battre la chamade. Jérôme et sa mère sont partis depuis plus d'une heure maintenant.

— Peut-être un problème avec l'auto, suggère la voix inconnue au bout du fil, sentant l'inquiétude de Cécile d'une façon presque tangible.

— Peut-être...

Mais Cécile n'y croit pas.

— Je vous rappelle si jamais j'ai du nouveau. Et quand vous les voyez arriver, dites à mon mari de communiquer avec moi, intime Cécile sans y croire.

En elle crie l'urgence d'intervenir. Jérôme et sa mère devraient être arrivés au village depuis longtemps maintenant. Accident ou avarie de moteur, peu importe. Perdus en campagne comme ils le sont, Jérôme a probablement besoin d'aide. La pluie tombe de plus belle, les maisons sur le rang sont éloignées les unes des autres, Mélina n'est qu'une vieille dame malade... Sans hésiter, Cécile signale le numéro d'urgence.

Mais peine perdue.

— S'il fallait qu'on se déplace pour une heure de retard...

La voix de la femme est inflexible.

— Laissez-moi les coordonnées de la voiture. On ne sait jamais... Rappelez-nous dans deux heures si vous n'avez pas de nouvelles... Mais ne vous inquiétez pas trop! Ça arrive tout le temps que les gens soient en retard.

Deux heures! Cécile raccroche avec impatience. Comment peut-on imaginer qu'elle va attendre deux heures sans s'inquiéter?

— Aberrant, lance-t-elle aux murs en se tordant les mains d'impatience. Rappeler dans deux heures!

Deux heures à promener son inquiétude d'une fenêtre à l'autre, d'un bibelot à l'autre qu'elle déplace machinalement puis d'un fauteuil à l'autre, faute de trouver mieux pour rendre l'attente tolérable.

— Si au moins j'avais gardé mon auto ! Je pourrais peut-être faire la route et…

Une violente rafale de vent, rabattu dans la cheminée, l'interrompt insolemment. Prendre la route par un temps pareil, elle ? Cécile a l'impression que les lamentations du vent contre la maison sont des ricanements.

— Petite misère, lance-t-elle en se relevant d'un bond. Ce n'est donc pas drôle de vieillir. J'en suis rendue à être dépendante de la température. Comme le disait Jérôme : au Québec, c'est tout un esclavage ! Mais qu'est-ce qu'ils font, Seigneur ?

Et Cécile reprend le guet à la fenêtre, revient sur ses pas, replace la statue des Chérubins sur le piano, se rend à la cuisine pour se servir un verre d'eau qu'elle jette aussitôt dans l'évier.

L'attente cesse brusquement sur un coup de sonnette. Et l'inquiétude devient intolérable, le temps de se dire que si on se déplace pour la prévenir, c'est que c'est grave. Mais aussitôt, puisé à même les réflexes d'une vie de médecin, un sentiment de détachement envahit Cécile. C'est une femme à l'apparence très calme qui ouvre aux deux policiers qui viennent d'arriver.

— Messieurs ?

— Nous sommes bien chez monsieur Jérôme Cliche ?

— Tout à fait. Mais entrez, vite ! Je suis gelée jusqu'à la moelle des os…

Des heures qui suivront, Cécile ne gardera qu'un souvenir fugace. Le transport, assise à l'arrière de l'auto-patrouille vers l'hôpital de Beauceville où on a transporté Jérôme et sa mère. L'annonce par le médecin que pour Mélina, il était trop tard. Puis le verdict à propos de Jérôme : infarctus suivi d'une atteinte cérébrale. Finalement, il n'y aura que l'émotion qui lui restera au cœur jusqu'à la fin de ses jours. Cette déchirure de l'âme entre la profonde tristesse de savoir Mélina décédée et l'espoir insensé que Jérôme puisse s'en tirer sans séquelles. Toutes ces heures, assise près de lui, l'esprit arrêté sur le moment présent à écouter sa respiration laborieuse, à entendre le bip rassurant du témoin cardiaque, à sursauter au moindre tressaillement, à consulter régulièrement le dossier qui lui est accessible car elle est médecin. Puis une certaine détente, le médecin pouvant se retirer dans l'ombre, laissant la place à l'épouse.

— Il va s'en sortir. Mais dans quel état, on ne peut le dire pour l'instant…

— Vous ne le connaissez pas comme moi… Jérôme est un battant.

Puis l'inévitable, les décisions à prendre, les choix à faire. Cécile est déchirée entre ses émotions.

— Pas question de funérailles sans la présence de Jérôme.

Cécile ne bougera pas d'un iota, car c'est au nom de Jérôme qu'elle parle. Elles sont trois, assises dans le bureau du presbytère. Judith, Cécile et Dominique.

— Mais pas question non plus d'attendre comme s'il ne s'était rien passé. Mélina était la mère de Jérôme mais aussi la mienne.

Judith est inflexible dans sa douleur. Et cela aussi, Cécile le comprend.

À la suggestion du curé, on optera finalement pour deux cérémonies. Des funérailles en présence du corps dans les délais habituels puis la tombe sera placée en crypte.

— Jusqu'au printemps… On pourra alors procéder à la mise en terre avec une courte célébration… Est-ce que ça vous convient?

Et cela convient parfaitement. Ainsi, il y aura des funérailles où seule, assise entre sa fille Dominique et son fils Denis, Cécile priera surtout pour son mari. À ses yeux, Mélina n'a pas besoin de ses prières. La vieille dame doit enfin être heureuse auprès de Gaby et si le ciel existe, elle y est sans aucun doute. Et peut-être bien, oui, si on y croit très fort, peut-être que d'où elle est, Mélina peut aider Jérôme comme elle n'aurait pu le faire sur terre. « Je vous en supplie, Seigneur, faites que tout aille bien. Et vous, Mélina, restez encore un peu auprès de lui. Je vous en supplie… »

De ces jours sombres de pluie, de vent, de froidure, Cécile gardera le souvenir d'une longue prière pour que Jérôme lui revienne comme avant.

Chapitre 9

« Quand on se sent apprécié et que l'estime de soi est là,
le reste vient tout seul. »

Paroles de Jérôme à François au printemps 1996

Les funérailles de Mélina ont bouleversé Sébastien, lui qui n'a jamais connu ses grands-mères. La vieille église de Ste-Marie, témoin des nombreux mariages chez les Cliche comme chez les Veilleux, des baptêmes de leurs enfants et des funérailles de Gaby, était remplie à craquer de gens émus. Mélina était une femme appréciée, aimée de tous. Elle avait suivi l'histoire de sa paroisse pendant presque un siècle. Tout comme Gaby, son mari, elle avait aidé ses voisins, ses amis, ses proches sans jamais compter son temps. Le curé avait fait un éloge simple, sincère, combien vrai, à l'image de la disparue.

— Mélina n'aimerait pas les larmes que l'on a envie de verser. Elle n'était pas femme à pleurer sur ce qui n'était plus, mais elle était femme à regarder devant. Rappelez-vous l'énergie, le cœur qu'elle mettait dans tout ce qu'elle entreprenait. Même encore récemment, malgré son grand âge, jamais elle ne se laissait aller. Pourtant, Mélina aspirait au repos comme chacun d'entre nous. Elle me disait, il y a de cela quelques semaines à peine : « J'ai eu une belle vie. Et j'ai eu le temps de vivre tout ce qu'il m'était possible de vivre. Alors pourquoi continuer ? Maintenant l'impression que j'ai, c'est de vivre dans mes souvenirs. Et ça ne me ressemble pas. Mes jambes ne me permettent plus d'être active comme je le voudrais encore. Alors si je ne peux regarder devant, maintenant, j'aimerais me reposer auprès de Gaby. Contrairement à ce qu'on pourrait croire, plus le temps passe et plus je m'ennuie de lui. Mais on dirait bien que le bon Dieu m'a oubliée ici-bas. » Oui, mes amis, voilà ce que Mélina me disait, il n'y a pas si longtemps. Alors, ce matin, réjouissons-nous, car

Dieu a enfin exaucé son vœu le plus cher. Aujourd'hui, Mélina a retrouvé son homme et nul doute qu'elle est heureuse auprès de lui.

Venu de Montréal avec François, Sébastien buvait les paroles du curé, espérant y puiser un semblant de réconfort. Il espérait trouver, à travers les mots que le curé disait à propos de Mélina, une source où il pourrait enfin s'abreuver, car il avait l'impression que sa vie se transformait peu à peu en marécage, une fois de plus. En même temps, il se demandait ce qu'il était venu faire là. Il se sentait étranger parmi tous ces gens qu'il ne connaissait pas. Il regardait François qui souriait à certains visages, saluait des connaissances, retrouvait des cousins perdus de vue depuis longtemps. Et Sébastien l'enviait. Sa famille à lui se résumait à un père bourreau de travail qui n'avait traversé leur demeure qu'en coup de vent, le temps d'y laisser des remarques désobligeantes, à une mère dont on lui avait appris qu'elle était malade au point de ne plus le reconnaître et à un frère qu'il n'avait pas revu depuis leur retour de France. Tout un retour d'ailleurs, Maxime le regardant avec hostilité à partir du moment où il avait compris que Me Duhamel était derrière leurs retrouvailles. Dès qu'il avait posé le pied dans le bistro où l'avocat attendait ses fils, Maxime s'était retourné en bloc et avait regardé Sébastien avec une lueur mauvaise au fond des yeux.

— C'était donc ça ! Tu travailles à sa solde, maintenant ?

Curieux comme il semblait tout à fait normal en l'accusant de la sorte. Ces mots durs avaient brisé le cœur de Sébastien. Mots de vérité peut-être, jusqu'à un certain point, mais combien atténués par l'affection sincère qu'il ressentait pour Maxime. La durée du vol entre Paris et Montréal lui avait paru durer l'éternité. C'est ainsi que depuis son arrivée, Sébastien promène un visage hermétique que même Virginie ou la peinture n'arrivent pas à dérider. L'appareil photo que son père lui a donné à Paris contient toujours la pellicule qu'il n'a plus envie de faire développer. Chaque matin, il regarde la boîte noire, posée sur son bureau. Il la prend dans ses mains avec une pointe de curiosité. Ses prises sont-elles bonnes ? Invariablement il repose l'appareil sur le coin de la commode, le visage hagard de Maxime et ses mots d'accusation se posant entre lui et tout ce qui était ses plaisirs dans la vie. Le décès puis les funérailles de Mélina ont conduit son mal d'être à un paroxysme dont il se serait bien passé. Il a l'impression que les quelques rares belles choses de sa vie sont en train de s'effriter entre ses mains.

Tout au long du chemin de retour vers Montréal, Sébastien se tient en retrait, le front appuyé contre la vitre, le visage renfrogné, les sourcils froncés.

— Ça ne va pas ?

Concentré sur la conduite de l'auto, François jette néanmoins de fréquents regards furtifs en direction de Sébastien qui se contente de grogner. Le jeune a son regard des mauvais jours, celui qu'il posait sur les gens et les choses du temps de la rue. François savait qu'il était attaché à Mélina, mais il ne croyait pas que c'était à ce point.

— Tu veux en parler ?

De nouveau, Sébastien marmonne en guise de réponse avant de tourner ostensiblement le dos à François. Il n'a pas envie de parler et peut-être bien que seule Mélina aurait pu arriver à le sortir de son mutisme. La vieille dame avait un flair pour les choses du cœur et son franc parler plaisait à Sébastien. Chaque fois qu'il avait le vague à l'âme, Mélina trouvait le mot juste, l'attitude souhaitée qui finissaient toujours par le dérider. Mais voilà, Mélina n'est plus. Au désabusement de Sébastien se greffe une peine sincère.

Tout au long de la route, il n'arrête pas de repenser à la foule nombreuse qui s'était rassemblée à l'église. Et lui, il ne connaissait personne. « Si moi, je mourais, l'église serait à peu près vide » songe-t-il curieusement avec une certaine amertume. Hormis Cécile qui était venue lui parler, personne ne lui avait adressé la parole. Et même Cécile n'était pas vraiment là. Sébastien sentait bien que le cœur n'y était pas. Mais il comprenait très bien que les pensées de Cécile étaient restées à l'hôpital auprès de Jérôme. Pour cet homme qui l'a accueilli comme un fils, Sébastien ressent de la tristesse, de l'inquiétude. Un peu comme Gilbert l'a fait avant eux, ces gens-là lui ont ouvert leur porte toute grande. Leur porte et leur cœur. Et le malheur qui les frappe, c'est un peu comme s'il frappait Sébastien aussi. Alors, paradoxalement, à cause d'eux, Sébastien, aujourd'hui, a très mal. Car c'est avec eux qu'il a appris à écouter l'autre, à s'émouvoir pour lui et avec lui. Parce qu'avant…

Poussant un profond soupir, Sébastien se détourne de la fenêtre pour regarder François.

— C'est pas juste.

La voix de Sébastien résonne drôlement dans le silence de l'auto qui n'était soutenu, depuis leur départ, que par le bruit des pneus roulant sur la chaussée humide.

— Qu'est-ce qui n'est pas juste? La mort de Mélina?

— Un peu. Si on veut.

— Je ne vois pas… Moi, au contraire, je pense que c'est enfin juste pour elle. C'est ce qu'elle souhaitait, Sébas. Et puis, à l'âge qu'elle avait, je n'arrive pas à m'attrister. On dit que la mort est la seule vraie justice. Riche, pauvre, beau, laid, tout le monde y passe. Et dans le cas de Mélina, j'arrive, oui, à comprendre le sens de ces mots. Parce qu'autrement, ça reste difficile même si …

L'intonation de la voix de François a quelque chose de dur, comme s'il mordait dans chacune de ses paroles. C'est alors que Sébastien comprend ce que la mort de Mélina peut faire ressentir à quelqu'un comme François qui sait fort bien que son tour n'est peut-être pas aussi loin qu'on serait tenté de le croire. À le voir, jamais on ne pourrait penser qu'il est malade. Pourtant… Mal à l'aise, Sébastien ne répond pas. Il a l'impression, comme cela lui arrive souvent, qu'il s'est encore mis les pieds dans les plats avec ses états d'âme qu'il écoute peut-être un peu trop et, de ce fait, il a entraîné François avec lui sur une pente qu'il aurait probablement mieux valu éviter.

La pluie s'est remise à tomber et d'un geste brusque, François met les essuie-glaces en marche. Alors, de nouveau, le roulement des pneus accompagné maintenant par le glissement des essuie-glaces envahit l'auto. C'est François qui se décide finalement à briser le silence qui s'est installé entre eux.

— Et maintenant, si tu allais au fond des choses, Sébas. Il me semble que ton attitude est un peu démesurée. J'ai l'impression qu'elle est amplifiée à cause de tout autre chose. Je me trompe?

Une fois encore, Sébastien ne répond pas immédiatement. Depuis le temps que cela se produit, il n'est plus vraiment surpris quand il voit les gens lire en lui comme dans un livre ouvert. « Finalement, ça arrive tout le temps, constate-t-il, sarcastique. Même avec mon père ! »

— Si on veut, répète-t-il enfin. Tu sais, je n'ai pas vu la mort de près très souvent dans ma vie. Et encore, ça ne me touchait pas directement, tente-t-il d'expliquer, tant pour François que pour lui-même. Il y a eu la mère d'un ami quand j'étais petit, une tante aussi, la sœur de mon père que je ne voyais pour ainsi dire jamais. Pourtant, chaque fois c'est la même chose : ça vient me chercher jusqu'au fond du cœur. Je me sens triste comme si j'avais perdu quelqu'un de très proche de moi. Et je n'arrive pas à comprendre pourquoi.

— Oh ! tu sais...

Pendant un moment, François donne l'impression d'être tout à fait concentré sur la conduite de l'auto. Pourtant, après quelques instants, il reprend d'une voix très grave :

— Depuis plus d'un an, je n'ai pas eu le choix de penser à la mort. Au début, ça me faisait peur. Comme toi, je me disais que ce n'était pas juste. Puis, petit à petit... Vois-tu, c'est la naissance de Laurence qui a tout changé.

Le temps de dépasser une voiture et François poursuit, toujours sur le même ton grave.

— Quand Marie-Hélène était enceinte, la seule chose qui me venait à l'esprit, c'était que je n'allais probablement pas voir grandir mon enfant. Et, oui, comme toi, je n'arrêtais pas de me répéter que c'était profondément injuste. J'avais l'impression que je ne méritais pas ça. Mais au moment où j'ai entendu le premier cri de ma fille, c'est comme si ma vie basculait... Bon sang que c'est difficile à expliquer... Comme tout le monde, je crois bien que c'est la notion du plus jamais qui me faisait peur. La mort, dans le fond, c'est la fin de tout ce que l'on connaît.

Après, personne ne sait ce qu'il y a exactement. Et c'est angoissant. Je suis bien placé pour le dire. Par contre, je n'ai pas eu le choix d'apprivoiser la notion du plus jamais. Pourtant, à partir du moment où l'on comprend que tout le monde y passe, ça change. Pourquoi est-ce que ça serait plus angoissant pour moi que pour toi, hein ? Peux-tu me le dire ? Tu vas peut-être mourir demain, on n'en sait rien. La seule différence entre toi et moi, c'est que moi je sais qu'il est probable que ça arrive bientôt, alors que toi, tu n'y penses même pas. Et c'est vraiment au moment de la naissance de Laurence que tout ça m'est apparu clair comme de l'eau de roche. Ma fille était au début de sa vie mais un jour, comme tout le monde, elle allait mourir. C'est peut-être fou, mais c'est là l'idée qui m'a traversé l'esprit quand je l'ai entendue pousser son premier cri. Comme moi, comme mes parents, comme Mélina aussi. La vie, c'est éphémère. À partir du moment où j'ai compris que c'était aussi éphémère pour Laurence que pour moi, ma notion des choses a changé. Parce que moi, j'ai la chance d'avoir pris conscience que tout peut s'arrêter brusquement. Je te jure que maintenant le fait de savoir que je vais mourir, d'avoir pris le temps d'y penser parce que je n'ai pas eu le choix de le faire, je le vois comme une chance qui m'a été donnée. Et désormais, je vis chaque moment comme s'il était le dernier. Laisse-moi te dire que notre perception de la vie prend une tout autre dimension quand on se met à penser que l'on pourrait mourir le mois prochain. Et c'est Laurence qui m'a appris à vivre le moment présent avec intensité. Un bébé, ça ne fait que ça, vivre au présent. Quand elle a faim, c'est tout de suite qu'elle a faim et quand elle joue, tu devrais voir le sérieux qu'elle y met. Ce qu'elle faisait deux minutes avant n'a plus la moindre importance et elle ignore totalement ce qu'elle voudra faire dans une heure. Il n'y a que le moment présent qui est important. Je crois que c'est ça que je devais comprendre pour enfin accepter.

François n'a pas besoin d'expliquer ce qu'il avait à accepter. Sébastien le sait aussi bien que lui. Et en même temps, il comprend que cette perception de la vie est juste. Pour François comme pour lui, comme pour tout le monde. Même si elle est lourde de sens, cette idée le réconforte. Tous les hommes se retrouvent sur un pied d'égalité et pour Sébastien, cette image semble correcte.

— Merci, François, de m'avoir confié une partie de tes pensées. Sans le savoir, tu m'as fait faire un bout de chemin. Depuis quelque temps, je t'avoue que j'ai de la difficulté à m'y retrouver. Tu me connais, n'est-ce pas ? ajoute-t-il dans un petit rire. Pour ce qui est de compliquer les choses, je suis difficilement battable !

François répond à son rire.

— Pour ça ! C'est vrai que tu as le tour de compliquer les choses. Mais je ne vois pas le rapport.

— Bof !

Pendant un moment, Sébastien regarde la pluie tomber. Puis, d'une voix sourde comme s'il ne parlait que pour lui, il dit :

— À cause de tout ce qui s'est passé depuis quelques mois. Revoir mon père, apprendre que ma mère est malade et maintenant Maxime... Je n'arrive pas à comprendre pourquoi tout ça nous arrive à nous.

— As-tu vraiment besoin de comprendre ? Y a-t-il quelque chose à comprendre ? C'est comme ça, Sébas. Un point, c'est tout. Un peu comme pour Marie-Hélène et moi. Ne perds pas ton temps à essayer de décortiquer tout ce qui se passe de triste dans ta vie et profite de tout le reste, bon sang ! Je comprends qu'apprendre que ta mère et ton frère sont malades, ça peut t'affecter. C'est normal. Mais pas au point d'oublier tout ce qu'il y a de positif autour de toi. Allons, Sébas, sois honnête. Tu es heureux avec Virginie, non ? Et tes cours de dessin, de peinture... C'est toi qui disais à quel point tu aimes ça, que c'est exactement ce que tu espérais trouver dans la vie. Et d'après ce que tu laisses entendre, tout ça n'aurait plus d'importance à cause de deux personnes que tu n'avais pas vues depuis des années ?

— Ça reste que ces deux personnes sont ma mère et mon frère !

La voix de Sébastien est sourde comme s'il accusait François de ne pas comprendre.

— Oui, je sais, reprend aussitôt François sur le même ton

que lui. Et c'est ce que je disais il n'y a pas deux minutes : c'est normal que ça t'affecte. Moi, vois-tu, c'est ma mère qui ne veut plus m'approcher. Pour elle, Marie et moi on est des pestiférés ! Elle a peur que le sida lui tombe dessus comme la varicelle. Et ça inclut Laurence. Alors, oui, je peux comprendre ce que tu vis. Mais moi, vois-tu, j'ai choisi de ne pas m'arrêter à la douleur que ma mère me fait. Et laisse-moi te dire que ça fait mal de voir sa propre mère nous rejeter. Parce que c'est exactement comme ça que je me sens. Mais il y a Marie-Hélène, Laurence et notre vie à trois. J'ai décidé que cette vie-là avait suffisamment d'importance pour se suffire à elle-même.

— Je m'excuse, François. D'accord, tu as raison, et c'est moi qui embrouille tout. Comme d'habitude, finalement.

— Tu es comme tu es, Sébas. Un gars passionné, entier, un peu tourmenté.

À ce mot, François échappe un petit rire.

— Comme tous les artistes, quoi ! Les vrais. Ce sont tous de drôles de cocos. Tu n'échappes pas à la règle.

À son tour, Sébastien se met à rire.

— Merci de le prendre comme ça. Et merci de me parler comme tu l'as fait. De temps en temps, ça fait du bien de se faire sonner les cloches. C'est toi qui as raison : il y a suffisamment de belles choses autour de moi pour que je m'y attarde au lieu de me complaire dans mes bibittes…

Puis, au bout d'un court silence, il redit :

— Oui, je m'excuse. Je crois que j'ai abordé un sujet délicat et que tu ne dois pas tellement aimer en entendre parler.

François pousse un soupir tout en haussant les épaules.

— Ça va. Disons que les circonstances s'y prêtaient, non ? Et ne va surtout pas croire que la perspective de mourir ne me fait plus peur. La peur de l'inconnu est toujours là, c'est bien certain. Et le fait que ma mère est incapable de nous accepter, ma famille et moi, ça me fait terriblement mal. Mais j'ai décidé de passer par-dessus. C'est juste que je veux vivre avant qu'il ne soit trop tard. Vivre à cent milles à l'heure parce que je ne sais pas quand le compteur va décider de s'arrêter. Et je n'ai pas vraiment le choix. C'est comme sauter d'un deuxième étage. On ne le ferait jamais à moins d'avoir le feu au derrière!

Et là-dessus, comme s'il voulait mettre un terme à la discussion, François se met à siffler un vieil air américain qui arrache un sourire à Sébastien. « Sacré François, pense-t-il, ému. Des comme lui, il n'y en a pas beaucoup. » Et reprenant la pose, il s'appuie contre la fenêtre et ferme les yeux. Le grincement des essuie-glaces reprend sa place, le roulement des pneus aussi. Mais cette fois-ci, le silence n'est pas désagréable. Parce qu'il est fait de pensées communes qui d'une certaine façon se rejoignent. « En arrivant, pense Sébastien en se calant confortablement contre la banquette, je vais demander à Virginie si elle veut bien m'accompagner à l'hôpital. J'ai envie de voir maman. Avant qu'il ne soit trop tard, comme le dit François. Et après, il me semble que ça ira mieux. Dans le fond, c'est François qui a raison : on ne sait jamais ce qui nous pend au bout du nez. »

Brusquement et de façon très viscérale, il lui tarde de tenir Virginie dans ses bras et lui redire qu'il l'aime. Il lui tarde aussi de reprendre ses pinceaux, de jouer avec les couleurs et les formes...

* * *

Les invités ont tous quitté. D'abord ceux qui retournaient à Montréal, puis ceux de Québec, suivis des voisins et des proches qui habitent dans le coin. Finalement, Judith est partie.

— Attends-moi pour faire le tri dans les choses de maman. J'aimerais être là.

Jamais Cécile n'aurait imaginé fouiller dans les choses de Mélina sans la présence de ses enfants. Et qu'on puisse penser le contraire l'a attristée. Mais il est vrai que ses relations avec Judith ont toujours été un peu froides, trop polies...

La grande maison des Cliche ressemble à une zone sinistrée. Des tasses et des assiettes sales jonchent les tables, des serviettes de papier tirebouchonnées se retrouvent dans tous les coins et recoins. Rassemblant tout son courage, Cécile se met à ramasser, machinalement, la pensée à des lieux de la maison. Si elle n'est pas à l'hôpital, c'est que le médecin traitant de Jérôme lui a interdit d'y mettre les pieds avant le lendemain.

— Cécile! Jérôme est hors de danger. Pour le reste, seul le temps saura nous dire ce qui va se passer. Demain, avec les funérailles et tout ce que ça implique, de grâce, ne venez pas vous pointer le nez ici. Pensez à vous et faites provision d'énergie, de forces, vous allez en avoir besoin.

— Oui mais, si jamais…

— Promis, au moindre changement, on vous appelle, avait précisé le médecin en l'interrompant. J'ai même laissé une note au dossier en ce sens. Ne vous inquiétez pas.

Le docteur Langlois et elle sont sensiblement du même âge. Mais, contrairement à Cécile, le vieux médecin refuse farouchement de prendre sa retraite. Puisqu'il est compétent et doué d'un bon sens inébranlable, Cécile sait qu'elle peut lui accorder toute sa confiance. Elle lui a donc obéi et ne s'est pas présentée à l'hôpital de toute la journée. De toute façon, elle se demande bien où elle aurait pris le temps pour le faire. Depuis le jour de l'accident, la maison a été envahie. D'abord Dominique, accourue dès l'appel de sa mère, le soir même. Suivie de Judith le lendemain matin puis de Gérard et Marie, arrivés de Montréal.

— J'sais ben que c'est pas l'temps de déranger, avait lancé son frère en guise de salutation dès qu'il avait mis les pieds dans le vestibule, mais faire l'aller-retour dans la même journée avec l'état de ma femme…

Tant et si bien qu'à travers les préparatifs des funérailles, le temps accordé à ses visites à l'hôpital et les gens à nourrir chez elle, Cécile a été prise dans un tourbillon qui l'a empêché de penser.

« Finalement, c'est une bonne chose » se dit-elle tout en portant une pile d'assiettes collantes à la cuisine. Parce que si je m'arrête à réfléchir à tout ce qui s'est passé depuis quelques jours… »

Sa réflexion ne va pas plus loin. Petit à petit, la maison retrouve son allure habituelle et seule la cuisine reste un endroit désolant. Fatiguée, Cécile abaisse l'interrupteur en soupirant.

— Tant pis pour la vaisselle, murmure-t-elle en revenant sur ses pas vers le salon, je verrai à tout ça demain matin.

C'est en faisant un dernier tour d'horizon pour être bien certaine que tout a été ramassé qu'elle prend conscience du grand silence autour d'elle. Tout à coup, la maison lui semble immense et sans vie. Un peu comme l'avait été sa grande maison de la rue Bougainville au moment du décès de Charles. Une même sensation de vide l'envahit. Pourtant Jérôme n'est pas décédé et, avec un peu de chance, dans quelque temps il sera ici, avec elle. Dans leur maison... À cette pensée, Cécile s'arrête un instant et regarde tout autour d'elle. Elle est dans le salon. La pièce est vaste, bien décorée malgré la présence de vieux meubles un peu désuets, inconfortables. Depuis toujours, Cécile s'est sentie à l'aise ici. Mais curieusement, ce soir, elle a l'impression de violer l'intimité de quelqu'un. Cette belle grande maison blanche et rouge, c'est la maison des Cliche. C'était la maison de Mélina. Et tant que la vieille dame y vivait, Cécile s'y sentait chez elle. Mais ce soir... elle se laisse tomber dans un fauteuil en fermant les yeux. Aussitôt, c'est l'image de la maison où elle habitait avec Charles et Denis qui se superpose à celle où elle se trouve. Elle revoit le grand salon un peu sombre où elle aimait se retirer auprès du foyer quand venait l'automne. Ici, il n'y a pas de foyer et Cécile l'a toujours déploré. Mais Mélina avait peur du feu... Tout comme elle refusait que l'on utilise un four à micro-ondes: elle craignait le cancer comme la peste. Dans la cuisine de Mélina, le vieux poêle à bois avait conservé toutes ses lettres de noblesse, soutenu à l'occasion par une antique cuisinière qui devait bien dater des années soixante! Paradoxe pour une vieille dame qui disait craindre le feu! Avec son respect habituel, Cécile n'avait jamais rien dit. Pourtant, elle a toujours raffolé des gadgets de cuisine! Alors elle s'était ennuyée de sa cuisine, la pièce la plus ensoleillée de la maison, et qui était munie des électroménagers à la fine pointe des nouveautés.

Cécile ouvre les yeux en bâillant, se passe une main sur la nuque pour délier ses muscles crispés par la fatigue. Avant, quand elle revenait fourbue de l'hôpital, c'est Charles qui lui massait le cou et les épaules pour la détendre. Depuis qu'il est mort, plus personne, jamais… En soupirant, Cécile se redresse légèrement sur son fauteuil. Curieux comme elle pense souvent à son premier mari depuis l'accident de Jérôme. Un long frisson lui fait replier les jambes sous elle, comme elle le faisait si souvent plus jeune. C'est peut-être le spectre de la mort qui lui fait penser à Charles. Elle ne veut pas revivre cette solitude si lourde qui a suivi le décès de son premier mari. La solitude, le silence envahissant, toujours présent, une maison trop grande pour elle seule. Un peu comme ce soir. Même si elle sait que Jérôme va lui revenir un jour, pour l'instant elle est seule et elle a l'impression que les amarres de sa vie sont bien fragiles. Lentement, elle regarde autour d'elle. Où donc sont passés ses choses, ses meubles, ses bibelots ? Brusquement, tous ces petits riens du quotidien lui manquent terriblement. Quelle sorte d'idée a-t-elle eue en vendant tout avant de s'installer ici ? Rien n'a résisté à cette folle envie de faire table rase du passé. Comme un besoin de tracer une ligne dans sa vie. Elle a tout donné, tout vendu, ne gardant que les souvenirs les plus personnels, malgré les hauts cris de Jérôme qui ne comprenait pas… Maintenant, par sa faute, elle vit dans la maison de Mélina, la maison des Cliche. Dans le coin près de la porte de la salle à manger, c'est le piano mécanique de Gaby qui finit ses jours, désaccordé, empoussiéré. Et sous la fenêtre, sur un ancien pupitre de bois mal verni, ce sont les photos des Cliche que l'on retrouve. Sans même penser au geste qu'elle pose, Cécile s'est relevée et elle s'approche du petit bureau. Quelques photos… Jérôme enfant, puis adolescent. Et celle-ci, quand il était à l'armée, souriant dans son bel uniforme. Et toutes ces images de la vie de Judith… Sans y réfléchir, Cécile prend le cliché où l'on voit Jérôme soldat et, toujours aussi pensive, elle revient s'installer dans le fauteuil. Elle se rappelle très bien le jour où cette photo a été prise. C'était au printemps, on le voit aux pommiers fleuris à l'arrière plan. Et Jérôme sourit, un bras appuyé contre la rampe qui mène à la galerie. Ils devaient se marier bientôt et tenter de reprendre leur fille confiée à l'adoption…

— Et j'ai tout gâché, murmure Cécile en soupirant.

Longtemps, elle reste immobile en regardant la photo. Que d'années passées depuis ce jour où elle a annoncé à Jérôme qu'elle ne se marierait pas tout de suite puisque sa mère venait de mourir et que sa famille avait besoin d'elle. Jérôme était donc parti se battre en Europe et elle ne l'avait pas revu pendant quarante ans. Que d'années, oui, que de regrets stériles, de souvenirs pénibles. Puis, lentement, sous ses yeux fatigués, c'est l'image de Denis qui remplace celle de Jérôme. C'est vrai que les deux hommes avaient une certaine ressemblance à l'âge de vingt ans. Mêmes grandes jambes, même sourire franc, même regard clair. Dans sa vie il y a aussi eu Charles et Denis. Et c'est grâce à ce petit bout d'homme qu'ils avaient adopté, Charles et elle, que Cécile avait enfin réalisé le plus grand rêve de sa vie : être mère. Et qu'elle avait compris que les liens du sang ne sont pas tout. C'est la vie au quotidien qui tisse les appartenances, les émotions, les plus beaux souvenirs.

— Denis, murmure Cécile. Le fils le plus merveilleux qui soit.

Encore ce matin, bousculant son horaire de médecin occupé, il était venu de Montréal pour les funérailles. Arrivé à la dernière minute, il s'était faufilé dans la foule pour rejoindre sa mère qui pénétrait dans l'église.

— Pardon pour le retard.

— Mais voyons donc ! J'aurais compris que tu ne…

Il l'avait interrompue d'un gros baiser sur la joue.

— Jamais je n'aurais pu rester loin de toi une journée comme aujourd'hui. Tu es ma mère et je tenais à être à tes côtés. Malheureusement, je ne pourrai pas rester toute la journée. Le temps de la cérémonie, un saut à l'hôpital pour voir Jérôme et je repars. J'ai une réunion importante en fin d'après-midi.

Ils s'étaient souri et Cécile avait glissé sa main sous son bras pour gagner le devant de l'église. Oui, un fils merveilleux. Cécile a un sourire attendri. Sans le moindre effort, elle entend encore le bruit de la dégringolade de ses pas quand il était adolescent, toujours affairé à une chose ou à une autre. Elle se rappelle aussi l'émotion ressentie lorsqu'il leur avait appris, à Charles et elle, qu'il voulait faire sa médecine comme eux. Denis est son fils, tout comme Dominique est sa fille. Sans la moindre différence, sinon qu'elle partage une vie de souvenirs avec Denis alors que sa fille reste parfois une énigme pour elle. Mais Cécile les aime tous les deux d'un amour aussi vrai, aussi fort…

Les paupières de Cécile sont lourdes, les souvenirs deviennent vagues, lointains, les mains échappent la photo qui tombe avec un bruit sourd sur la carpette. Tout doucement les souvenirs, les rêves et les espoirs s'emmêlent. Le sommeil gagne Cécile qui se déplace instinctivement sur le fauteuil pour être plus confortable. La courtepointe bleue tissée de blanc, laissée en permanence sur le dossier, glisse et se pose sur ses épaules. Le souffle est profond, régulier, accompagné du tic-tac de l'horloge grand-père qu'elle n'a pu se résoudre à vendre. Une horloge de bois travaillé et trouvée dans un marché aux puces lors d'un voyage avec Charles. Le bruit de l'horloge qui dit le temps qui passe, qui rassemble tous les morceaux de la vie de Cécile…

* * *

Le bruit strident de la sonnerie du téléphone réveille Cécile en sursaut. De l'autre côté de la fenêtre, il fait encore nuit. Le temps d'ajuster les rêves au moment présent puis Cécile se précipite.

Jérôme a repris conscience…

Quand Cécile quitte enfin la maison, l'horizon est maquillé d'une trace rosée qui annonce déjà que la journée sera belle. Pourtant, le jour n'existe pas encore. Nous sommes à cet instant magique où la nuit hésite à céder sa place, où l'aube attend encore la goutte de lumière qui va créer la journée. Mais Cécile est insensible à la beauté du moment. Concentrée, les mains crispées sur le volant, elle roule prudemment dans l'entrée qui mène à la route. Le sol encore humide de la pluie d'hier est glissant et elle déteste conduire une auto qu'elle ne connaît pas. Même si l'auto de location est d'un modèle semblable à celle de Jérôme, confiée aux soins du garagiste, Cécile est nerveuse. Mais s'il le fallait, elle conduirait un camion sans la moindre hésitation pour rejoindre Jérôme.

Son Jérôme, son homme qui reprend pied dans la réalité, dans leur vie…

Quand elle arrive devant l'hôpital, le soleil est là, grosse boule de lumière derrière la colline. Les oiseaux qui n'ont pas quitté la région s'égosillent de plaisir. Cécile est heureuse. Son Jérôme est revenu parmi les siens. Et il fait beau, tellement beau. Une journée comme Mélina aimait tant… À cette pensée, le sourire de Cécile s'éteint. Comment, comment dit-on à quelqu'un que sa mère qu'il aimait tant est décédée alors qu'il n'était pas là? Est-ce que Jérôme sait que la vie vient encore une fois de lui jouer un sale tour en lui volant les cinq derniers jours comme elle l'avait déjà fait le privant de ses souvenirs, de sa mémoire pendant dix ans?

Le front strié d'une ride, le cœur serré entre deux émotions contraires, Cécile hâte le pas vers la salle des soins intensifs, l'esprit tout entier tourné vers les mots à dire et la façon de les dire. Mais à l'instant où elle aperçoit le docteur Langlois qui vient vers elle, Cécile oublie jusqu'au nom de Mélina. Que fait ce vieux médecin ici à une heure aussi matinale? Redressant les épaules, le cœur battant la chamade, Cécile va à sa rencontre.

— Venez, Cécile, j'ai à vous parler avant que vous ne voyiez votre mari.

Mais quand il sent que la main qui se glisse dans la sienne pour le saluer tremble comme une feuille, il ajoute aussitôt:

— Rien d'alarmant, ne vous en faites pas. Par contre, il fallait s'attendre à des séquelles. Mais venez, installons-nous ici. Je vais vous expliquer.

Et sur ces mots, il referme sur eux la porte de la petite salle d'examen…

CHAPITRE 10

« Je l'ai toujours dit : faut faire confiance à la vie. Même si on comprend pas toujours ce qu'elle cherche à nous dire... »

PROPOS TENUS PAR MÉLINA À L'ÉTÉ 1996

La discussion qu'il a eue avec François a finalement porté fruit : depuis les funérailles de Mélina, Sébastien fait des efforts louables pour s'en tenir aux belles et bonnes choses de sa vie. Le dessin et la peinture ont donc repris une place de choix dans son quotidien. Mais ses relations avec les gens qui l'entourent ont quelque chose de mitigé : quand tout va bien, il repense à sa famille avec amertume, car il a l'impression que rien ne va et quand il se heurte à quelqu'un, il fait encore un parallèle avec sa famille à propos de laquelle les blessures ne finissent pas de guérir. Sébastien n'en sort pas...

Profitant d'une journée de congé, il est à la cuisine pour classer la pile impressionnante d'esquisses et de dessins de toutes sortes qu'il a accumulés depuis le début de ses cours. Il s'est procuré des chemises de carton de couleurs différentes et il classe ses dessins par thème.

— Comme ça, ils pourront te servir de modèle ou de référence au fil des ans !

L'idée venait de Virginie, et Sébastien l'avait trouvée excellente. Des esquisses imposées dans ses cours à celles élaborées librement chez lui, Sébastien découvre avec plaisir la multitude de sujets qui s'offre à lui. Ici, la perspective d'une ruelle, là, la délicatesse d'une fleur ou les jeux de lumière sur une cafetière, le choix est illimité.

Devant lui, sur la table, il doit bien y avoir dix piles différentes et chaque dessin est soigneusement examiné avant d'être classé ; ainsi, il le retrouvera facilement si le besoin s'en fait sentir. Il prend conscience aussi, à quel point ses dessins sont ressemblants. Ici, c'est Virginie et là, Marie-Hélène avec un bébé qui a les yeux pétillants de Laurence. Il aime les paysages remplis de soleil, les jardins fleuris, l'eau tranquille d'un lac sous un ciel bleu. Mais partout, même dans ses natures mortes, la présence de l'humain est perceptible.

— Finalement, murmure-t-il pour lui-même, je mets des personnages à peu près partout... Curieux! Et ces personnages ressemblent toujours à des gens que je connais... Tiens, on dirait Gilbert.

Un gros homme, bien campé sur ses courtes jambes, sa main en visière pour scruter l'horizon devant lui.

— Il ne manque que le tablier à fleurs et ce serait frappant, dit-il encore, se sentant moqueur. Sacré Gilbert! Ça doit bien faire trois semaines que je ne l'ai pas vu. Même les jeudis soirs, il est occupé...

Prenant le dessin du gros homme par un coin, il le dépose dans la chemise *Personnages divers*. Mais quand il arrive sur l'esquisse d'une jeune femme blonde, entourée d'enfants dans un grand parc, ses sourcils se froncent. Pensif, il tient le dessin devant lui. Puis il le dépose avant de chercher fébrilement à travers les dessins qui lui restent à classer. Voici encore la même jeune femme marchant sur un trottoir, et là, dans un marché, et là encore près d'un étang...

Sébastien se laisse tomber sur une chaise, ces dessins étalés devant lui, toujours pensif comme s'il cherchait à mettre un nom sur ce visage. Mais qui donc... La ressemblance lui saute aux yeux d'un seul coup...

— Mais c'est maman! murmure-t-il.

Ému, il regarde longuement les dessins, ne sachant plus, subitement, où les classer. Il lui semble qu'ils méritent mieux que de se retrouver dans la chemise *Personnages divers*. Pourtant, que lui reste-t-il de sa mère sinon des souvenirs d'enfance qui ne veulent plus rien dire depuis qu'il a appris que sa mère était une névrosée?

Le mot lui saute au cœur. Névrosée, malade, folle...

D'un geste rageur, Sébastien lance à la volée sur la table les quelques dessins qu'il tenait dans sa main, n'ayant plus l'envie de classer quoi que ce soit.

— Crisse de famille de fous ! J'en ai assez…

Pour aujourd'hui, c'en est fait du classement. Invariablement, quand sa famille devient obsession, plus rien n'a d'intérêt aux yeux de Sébastien. Comme s'il prenait un malsain plaisir à se complaire dans sa rancune !

Ouvrant le réfrigérateur, il attrape une bouteille de bière et la décapsule en lançant le bouchon derrière lui. Et, sans même se retourner au bruit métallique que fait ce dernier en tombant sur le plancher, Sébastien se réfugie au salon…

Quand Virginie revient de ses cours, sur le coup de dix-sept heures, épuisée par un examen particulièrement long et difficile, elle trouve Sébastien affalé devant le téléviseur, le volume poussé au maximum. À côté du divan, sur le plancher, trois bouteilles de bière vides. « Pour un gars qui se vante de ne pas boire… » La réflexion de Virginie s'arrête à ces mots. Elle se doute de ce qui s'est passé. Un appel, un souvenir, n'importe quoi se rapportant à sa famille. « Encore » songe-t-elle, impatiente, en passant devant lui sans dire un mot pour se diriger vers leur chambre. Puis elle passe à la cuisine où règne un fouillis indescriptible. La vaisselle sale encombre le comptoir et l'évier, des feuilles de papier jonchent le sol, les chemises à moitié remplies s'empilent pêle-mêle sur la table. Un ouragan a traversé la cuisine… Ils sont toujours au rendez-vous, ces accès de colère, quand Sébastien pense à sa famille. En fait, il n'y a qu'à ces moments-là qu'il soit colérique… Virginie revient au salon sur un pied de guerre. Sa patience naturelle et sa grande tolérance envers les autres ont atteint leur limite. Elle en a assez des états d'âme de Sébastien. Il est temps qu'il fasse le ménage dans ses souvenirs et ses émotions, car elle a envie de passer à autre chose. Sébastien est toujours vautré sur le divan.

— Tu comptes passer la soirée comme ça ?

Sa voix est cassante. Surpris par le ton, Sébastien lève un sourcil en posant les yeux sur Virginie puis il hausse les épaules, comme indifférent, insensible. Trois bières, pour celui qui ne boit pratiquement jamais, suffisent à embrumer l'esprit. Il est fatigué et n'a surtout pas envie d'une discussion.

— Ça te dérange ?

La répartie, narquoise et cinglante à la fois, pique Virginie à vif. Une grande lassitude l'envahit aussitôt, emmêlée à un refus d'endosser encore une fois les états d'âme de Sébastien qu'elle sent à fleur de peau. Sa réplique est aussi cinglante :

— Oui, ça me dérange ! J'ai eu une journée de fou ! Et pour une fois que tu étais à la maison, j'espérais trouver le souper prêt. Au lieu de quoi...

Volontairement, Virginie laisse les mots en suspens. Voyant que Sébastien ne réagit pas, elle reprend là où elle avait laissé, colérique.

— Au lieu de quoi je trouve mon chum affalé sur le divan, pas parlable, la cuisine dévastée, la vaisselle pas faite. Tout un accueil... Et tu penses trouver la solution à tes problèmes au fond d'une bouteille, lance-t-elle en pointant du menton les bières vides. Mais on sait bien, c'est de famille.

Les mots ont dépassé sa pensée et aussitôt, Virginie les regrette. Mais trop tard. Sébastien a bondi.

— De quel droit oses-tu ?

— Je constate, voilà tout. Il n'y a que ta famille pour te rendre aussi morose. Et je te trouve à moitié là, des bières vides à côté de toi. Facile d'en tirer une conclusion, non ?

— Tu sautes aux conclusions un peu vite à mon goût... C'est pas toi qui vis dans une famille de fous ! Un père jamais là, un frère en désintox et une mère folle à lier...

— Pardon, l'interrompt Virginie, cette fois-ci hors d'elle-même. Mais c'est toi qui embrouilles tout, mon pauvre Sébas. Et je n'aime pas le ton que tu emploies pour parler de ta mère. Elle est malade. Ce n'est pas sa faute... Quand est-ce que tu vas accepter, une bonne fois pour toutes, que ce n'est pas avec ta famille que tu vis mais avec moi ? Et puis, quand on y regarde de près, je ne trouve pas, moi, que ta famille soit si différente des autres... Tu dis que ton père n'est jamais là. La belle affaire ! En quoi, veux-tu bien me le dire, cela peut-il te déranger à ce point, hein ? C'est un homme occupé qui mène une belle carrière. Voilà tout. Et crois-moi, il n'est pas le seul à brûler la chandelle par les deux bouts. Aujourd'hui, c'est normal. S'il était chômeur je comprendrais que tu t'inquiètes, mais là… Quant à ton frère, je ne vois pas ce qui te hérisse à ce point. Il est en désintox. Et après ? C'est mieux que d'apprendre qu'il est malade comme ta mère comme l'anticipait ton père. Psychose passagère… C'est bien ce que les médecins ont dit, non ? Alors tant mieux s'il est en désintoxication. Après, ça ira mieux et d'après ce que tu m'as dit, il va sûrement vouloir te revoir. Ce n'est qu'une question de temps. Et pour ta mère, règle donc le problème pour de bon. Laisse tomber les si et les peut-être et va la voir comme tu disais vouloir le faire quand tu es revenu l'autre jour. Et quoi que tu trouves, ça ne peut pas être pire que l'incertitude et les suppositions.

Virginie s'est enfin vidé le cœur. Elle n'en pouvait plus de voir Sébastien se débattre avec des problèmes qui n'en sont pas. Elle y a été peut-être un peu durement mais, comme on dit, il fallait que ça sorte. Sébastien ne répond pas. Assis sur le bord du divan, les coudes appuyés sur ses cuisses, il reste sans bouger pendant un long moment. Puis il se décide à lever les yeux vers Virginie.

— Tu as peut-être raison. Je ne sais pas…

— Va falloir que tu saches, prévient Virginie, bien décidée à aller jusqu'au bout cette fois-ci.

La remarque est lourde de sous-entendus, mais le ton s'est adouci.

— Oui, reprend-elle, va falloir que tu te décides parce que moi, je suis fatiguée de te suivre dans tes émotions malsaines. Je t'en prie : cesse de te faire du mal, Sébas. C'est inutile. Pense à nous… Je t'aime, Sébas. Mais vois-tu, je n'ai plus envie de vivre au passé. J'ai envie d'avancer, de faire des projets… Et, je regrette d'avoir à le dire, mais ça sera avec ou sans toi…

Sans un mot, Sébastien soutient longuement le regard de Virginie. Puis il tend la main pour prendre la sienne. Et dans un souffle, il lui dit :

— Ce sera avec moi… Promis, je vais régler mes problèmes.

Et après, on va regarder devant. Ensemble…

* * *

Le ciel est sombre. Il fait froid. De gros nuages se promènent d'ouest en est, poussés par un vent violent qui fouette les visages. Devant Sébastien, l'ensemble des bâtiments gris est austère, peu invitant. À l'arrière, en biais au-dessus du toit, se profilent une haute cheminée et une tour de brique qui ressemble à un phare.

— On dirait un paquebot échoué sur les rives de la ville, murmure-t-il, sa voix se perdant dans le vent qui le secoue à l'image de son cœur et de son esprit, lessivés par le trac.

Malgré les mises en garde de son père, pas du tout d'accord avec ses intentions, Sébastien s'est enfin décidé et il se tient devant l'hôpital où sa mère est internée. À sa gauche, on devine le centre-ville. Les têtes de quelques gratte-ciel se perdent dans le plafond nuageux. Devant lui, une longue allée flanquée de trottoirs et bordée d'arbres. Et derrière les murs de pierres grises, il y a sa mère.

— N'y va pas, Sébastien ! Ça ne sert à rien, elle est malade. Elle vit dans un monde imaginaire et tu risques de te faire du mal. Je t'en conjure, laisse tomber ce projet. Tu ne gagneras rien à revoir Brigitte.

Mais Me Duhamel avait eu beau utiliser tout son talent de brillant plaideur, Sébastien était resté insensible à ses arguments. Peut-être était-ce là un point de ressemblance entre les deux hommes : ils ont la tête dure !

Par ce triste matin de décembre, malmené par le vent, les mains tremblantes de froid et d'anxiété, Sébastien est donc debout sur un trottoir de l'est de la ville, indécis, se demandant si, finalement, il n'est pas ici juste pour tenir tête à son père. Il a peur de ce qu'il va trouver. Sa mère, c'est toute son enfance. Cela fait dix ans qu'il ne l'a pas vue. Cela fait dix ans qu'il pense à elle à travers les quelques beaux souvenirs qu'il a. Cela fait dix ans qu'il lui en veut de les avoir abandonnés, son frère et lui. Elle était son refuge et son espoir. Elle était déjà folle…

Lentement, ses pas le rapprochent de l'hôpital ; il entend la voix de Virginie qui l'encourage.

— Malgré ce qu'en pense ton père, je crois important que tu fasses la démarche jusqu'au bout. Depuis le temps que tu en parles... Et puis tu n'es plus un enfant. Si tu ne te fais pas d'attente concernant cette rencontre, il me semble que tu vas te sentir mieux après. En tout cas, si c'était moi, c'est sûr que j'irais.

Et en même temps, il entend son père qui essaie de le dissuader. Son cœur bat jusque dans sa tête...

Une grande salle vitrée au bout d'un corridor, comme dans *Vol au-dessus d'un nid de coucou*. Brusquement, Sébastien prend conscience que c'est exactement le genre d'endroit qu'il s'attendait à trouver. Des gens se bercent, d'autres font les cent pas, les yeux au sol. Plusieurs parlent seuls, tiennent des discours incohérents. Dans un coin, appuyé contre le mur, un homme entre deux âges remue les doigts à une vitesse folle, près de son visage, en jetant des regards inquiets autour de lui et marmonnant sans fin des mots sans suite. Une vieille dame berce une poupée de chiffon toute sale en chantonnant quelques rimes d'une berceuse. Toujours les mêmes, à l'infini, d'une voix monocorde. Elle lui fait penser à Mélina à cause de son âge avancé. Qu'aurait-elle pensé de sa démarche, sa vieille amie ? Il lui semble qu'elle aurait été d'accord, elle qui lui conseillait souvent de faire la paix avec son passé.

— Venez, suivez-moi, Brigitte s'assoit toujours là-bas, dans le fond près de la fenêtre, rigoureusement au même endroit.

L'infirmière qui l'a accueilli est jeune, souriante, gentille. Mais les mots qu'elle vient de prononcer rejoignent Sébastien dans ce qu'il a de plus sensible depuis quelque temps. « Rigoureusement au même endroit... » La rigueur de sa mère, toutes ses manies dont il se souvient de plus en plus souvent depuis que son père lui en a parlé. Mais l'infirmière a aussi ces mots pour lui :

— Vous êtes gentil d'être venu la voir. Elle n'a pas souvent de visite.

Alors la panique de Sébastien baisse d'un cran et les mauvais souvenirs s'estompent. Sa visite aura peut-être quelque chose de bon. Même si ce n'est pas pour lui. Remorqué par l'infirmière, Sébastien traverse l'immense salle, mal à l'aise, le cœur battant la chamade, comprenant ce que son père cherchait à lui dire. Personne de sensé ne peut venir ici sans être perturbé. Puis brusquement le temps cesse d'exister, sinon pour revenir en arrière. Tassée sur elle-même, délicate, encore plus menue que dans ses souvenirs, sa mère est là. Son monde imaginaire est aussi un monde intemporel car elle n'a pas changé. Mêmes cheveux blonds, longs, nattés, pas une ride. Et bien mise, avec élégance même, alors que Sébastien s'attendait à rencontrer quelqu'un de négligé, sans qu'il sache d'où lui venait cette certitude. Peut-être à cause de tous ces films qu'il a vus. Il sursaute au son de la voix de l'infirmière qui se penche vers la malade qui n'a pas réagi à leur approche.

— Brigitte, vous avez de la visite.

La malade ne bouge pas, le regard droit devant elle. Puis, imperceptiblement, elle commence à se bercer. À peine un mouvement de la chaise alors que tout le corps semble immobile. Puis le mouvement s'intensifie, les pieds se soulèvent, retombent en frappant le sol délibérément, bruyamment, se soulèvent de nouveau, retombent. La chaise bascule à toute allure. L'infirmière pose alors doucement la main sur le bras de Brigitte.

— Ce n'est pas nécessaire, Brigitte. C'est quelqu'un de gentil.

Puis à l'intention de Sébastien.

— C'est sa réaction quand elle a peur de quelque chose.

D'un geste très doux, l'infirmière caresse le bras de la malade. Et, lentement, le mouvement se calme. Brigitte tourne la tête vers Sébastien. Brigitte tourne son regard vide vers Sébastien qui a l'impression qu'elle ne le voit pas ou plutôt qu'elle voit à travers lui. Puis elle reprend la pose, les yeux devant elle, fixant la ligne d'arbres qui bordent le terrain.

— C'est beau, fait l'infirmière, Brigitte vous accepte. Vous pouvez vous asseoir.

— Ah oui ? Comment faites-vous pour…

— Pour savoir ? demande alors la jeune femme en souriant.

C'est bien simple. Si Brigitte n'avait pas voulu de vous dans son entourage, elle aurait frappé du pied jusqu'à ce que vous partiez. Quand elle se calme, c'est signe qu'elle vous accepte.

— Et… Et est-ce qu'elle parle? Est-ce que…

— Bien sûr, l'interrompt l'infirmière. Elle peut même être intarissable. Donnez-lui un peu de temps. Parlez de choses simples et ça viendra tout seul. Mais n'oubliez jamais que le contact qu'elle a avec les gens est bien mince. Elle a sa propre perception des choses. Brigitte a son monde à elle.

— Je sais, murmure Sébastien. On me l'avait dit…

— Alors? Je vous laisse ou…

— Oui, ça va. Vous pouvez nous laisser. Je… Je ne resterai pas longtemps.

Le bruit des chaussures à semelles feutrées qui s'éloigne est aussitôt remplacé par le murmure des voix qui brusquement ressemble à une cacophonie aux oreilles de Sébastien. Un rire strident, un cri courroucé puis de nouveau le murmure des voix comme celui de la marée, toujours pareil et en même temps à chaque vague différent. Et sa mère, immobile, regardant à l'extérieur. Ne sachant que dire pour briser le silence entre eux, Sébastien se contente de tirer une chaise pour s'asseoir.

— On dirait qu'il va neiger.

La voix aiguë de Brigitte fait sursauter Sébastien. Il ne se rappelle pas avoir entendu sa mère parler de la sorte. Pourtant… Peut-être, oui, certains souvenirs. Il entend son père gronder, sa voix grave, colérique. Et sa mère, oui, c'était sa mère qui criait d'arrêter. Ces cris stridents et cette voix aiguë se ressemblent. Sébastien doit faire un effort surhumain pour répondre. Il a l'impression que les mots vont rester coincés dans sa gorge.

— Oui, il va neiger. Il fait très froid dehors.

— Je n'aime pas la neige. C'est mouillé, c'est désagréable. Ça reste collé sur les manteaux comme de la saleté.

— Mais c'est de l'eau. Ce n'est pas sale.

— Oh! oui, c'est sale! Tout est sale, partout. Il faut laver, toujours laver partout. Même la neige. Je n'aime pas la neige. Mes filles non plus n'aiment pas la neige. Sauf pour faire des bonshommes. Sandrine n'aime pas avoir froid, mais elle aime faire des bonshommes de neige.

Comme Sébastien qui n'aime pas avoir froid mais qui aime bien faire des bonshommes de neige... Un souvenir lui revient avec une précision inouïe. Ils sont tous les trois à la cuisine, sa mère, Maxime et lui. Ils sont à la fenêtre et regardent à l'extérieur. La neige a recouvert le jardin pendant la nuit. Sébastien voudrait bien sortir jouer, mais sa mère ne veut pas.

— Tu vas attraper froid. Tu vas te salir.

Sa mère qui n'aimait pas les voir jouer dehors et son père qui parlait hockey dès que venaient les premiers froids. Sébastien se revoit très clairement, le nez écrasé sur la vitre, attiré par la neige toute blanche qui illumine leur jardin d'une clarté incroyable alors que les plates-bandes dépouillées étaient si sombres, si tristes hier encore. Et sa mère qui ne voulait pas qu'il sorte... L'enfant qu'il était ne comprenait pas pourquoi il devait rester à l'intérieur. Par contre, il savait à l'avance la discussion qui viendrait quand son père serait de retour... Un long soupir soulève la poitrine de Sébastien. Comme avant, quand il était petit... Fermant les yeux un instant pour faire mourir le souvenir, Sébastien doit faire un effort surhumain pour revenir au monologue que sa mère n'a pas interrompu. Elle parle toujours de Sandrine.

— Viens, Sandrine, viens avec maman, est-elle à dire, se penchant vers l'avant comme si elle s'adressait réellement à une enfant. Viens, on va faire de beaux dessins. C'est tellement plus agréable que de jouer dans la neige.

Puis brusquement, Brigitte se redresse et tourne un regard très clair vers Sébastien. Un large sourire de fierté illumine ses traits et curieusement, sa voix a maintenant une intonation normale.

— Elle dessine bien, ma Sandrine, vous savez. C'est une artiste.

Sandrine qui dessine comme Sébastien dessine...

— Oui, murmure Sébastien tant pour lui que pour sa mère, Sandrine dessine très bien. Surtout les papillons.

À ces mots, Brigitte se met à battre des mains comme une enfant joyeuse.

— Oui, oui, c'est vrai.

Puis elle fronce les sourcils.

— Vous connaissez Sandrine ? C'est drôle parce que personne ne connaît Sandrine et Marilou. Sauf Antoine. Est-ce que vous connaissez Antoine aussi ?

Alors Sébastien dessine un sourire très doux. Et du bout des pieds, par instinct, il entre dans le monde de sa mère, ce monde différent qu'il a l'intuition de connaître à travers les souvenirs de son enfance. Sans le savoir, déjà à cette époque, sa mère lui avait laissé voir son monde intérieur. Sébastien aimerait poser la main sur le bras de sa mère mais il n'ose pas.

— Oui, je connais Sandrine, Antoine et Marilou, répond-il d'une voix douce. Je les connais très bien. Sandrine suit des cours de dessin, vous savez.

— Oui, oui, je sais. Antoine me l'a dit. Il vient souvent, Antoine. Il est gentil. Il me parle de Sandrine et Marilou. Il est le seul à me parler de mes filles. Je sais aussi que Marilou est allée à Paris au printemps dernier. C'est Antoine qui me l'a dit... Mais parlez-moi encore de Sandrine... Est-ce qu'elle dessine encore des papillons ?

Parler de lui à travers Sandrine. Rejoindre sa mère à travers les souvenirs d'enfance qu'ils partagent. Mais le faire, c'est rejoindre son père aussi. Le froid, l'impassible Antoine Duhamel qui joue le jeu de sa mère en lui parlant de Maxime et Sébastien en les appelant Marilou et Sandrine. Cet homme, cet inconnu, son père qu'il connaît si peu, si mal... Ému aux larmes, Sébastien répond enfin à sa mère.

— Oui, elle dessine parfois des papillons mais aussi bien d'autres choses. Des jardins, des fleurs, des paysages, des rues... Et quand elle s'ennuie, elle fait aussi votre portrait.

— Ah oui ? Sandrine pense donc à moi parfois ?

— Bien sûr ! Mais elle est tellement occupée à faire des dessins qu'elle n'a pas le temps de venir vous voir.

— Antoine me dit la même chose... Mais il dit aussi que peut-être, un jour, mes filles auront le temps et qu'elles viendront me voir. C'est pour cela qu'il m'apporte de beaux vêtements. Pour que je sois toujours prête à recevoir mes filles le jour où elles trouveront un peu de temps libre. N'est-ce pas que je porte de beaux vêtements ?

— Très beaux. La couleur est très jolie. Je suis comme Sandrine, j'aime les jolies couleurs.

— Moi aussi... C'est important d'être impeccable, toujours. Comme la maison. J'ai déjà eu une belle maison, vous savez. Très grande, très belle. Mais c'était trop fatigant de s'en occuper tout le temps. C'est pour ça que je vis à l'hôtel. Antoine dit que c'est mieux comme ça... Il est gentil, Antoine. Il vient me voir souvent. Est-ce que vous connaissez Antoine ? Il vient pour m'apporter de beaux vêtements et pour me parler de mes filles. Est-ce que vous connaissez mes filles ?

Le regard de Brigitte s'est éteint d'un coup comme une chandelle que l'on mouche. Détournant la tête, elle recommence à fixer le parc qui s'étend triste et lugubre sous les fenêtres de la grande salle, sans cesser de parler, comme si Sébastien n'était plus là. Ce n'est qu'au moment où il se relève qu'elle semble prendre conscience de nouveau de sa présence.

— Vous partez déjà ? Est-ce que vous reviendrez me voir ? J'aime bien recevoir de la visite, vous savez. Est-ce que vous connaissez mes filles ? Si oui, vous pourriez peut-être leur dire combien je suis fière d'elles. J'ai deux filles, vous savez. Sandrine et Marilou.

— Je sais, répète alors Sébastien, le cœur serré. Je connais très bien Sandrine et Marilou. Et je reviendrai vous parler d'elles. Promis.

Brigitte recommence à battre des mains.

— Oui, oui. Comme Antoine. Vous serez deux maintenant à me parler de Sandrine et de ses dessins.

— Et si je demandais à Sandrine de faire un dessin pour vous ?

À ces mots, les yeux de Brigitte s'emplissent de larmes.

— Vous croyez ? Antoine dit qu'elle n'a pas le temps.

— Je vais lui demander de faire une exception. Pour une fois. Je crois qu'elle va trouver le temps de dessiner un jardin rempli de papillons.

— Oh oui ! oh oui ! Avec mon portrait dedans...

Tout en parlant, Brigitte est revenue face à la fenêtre et s'adresse à son public imaginaire. Sa voix est de nouveau aiguë.

— Vous voyez bien que j'ai raison. J'ai deux filles. Sandrine et Marilou. Et le gentil monsieur va m'apporter un dessin de Sandrine. Vous verrez bien si j'ai raison. Elle dessine bien, ma Sandrine. C'est une artiste. Vous ne connaissez pas mes filles ? Pourtant Antoine les...

Alors, comprenant que pour l'instant sa mère n'est plus consciente de sa présence, Sébastien s'éloigne rapidement.

Pour que sa mère n'entende pas les sanglots qui lui montent à la gorge...

Arrivé à l'extérieur, Sébastien doit s'asseoir sur les marches de pierres grises. Il tremble jusqu'au fond de son âme. Il est bouleversé. D'avoir vu sa mère. D'avoir appris toutes ces choses sur son père. Plus jamais il ne dira de lui qu'il est froid, insensible. À sa façon, Antoine Duhamel continue d'aimer Brigitte, la respectant jusque dans sa folie. Et ces vêtements luxueux... Sébastien se jure que plus jamais il ne jugera sans savoir...

Il commence à neiger. Quelques flocons secs, bousculés par le vent, virevoltent devant lui. C'est vrai qu'il aimait faire des bonshommes de neige quand il était petit. Aussi vrai qu'il déteste toujours le froid.

— Maudite ambivalence, murmure-t-il en se relevant. Faut croire que ça me colle à la peau depuis toujours.

Et sans même y réfléchir, arrivé à la rue, Sébastien ignore l'arrêt d'autobus et, tournant à droite, il se dirige à pied vers le centre-ville. Avec sa mère, il vient de retrouver son enfance à travers celle qu'elle appelle Sandrine. Et marcher droit devant, apparemment sans but, fait aussi partie de sa vie. C'est un peu tout cela qui l'a amené jusqu'à aujourd'hui. Mais pour une fois, il n'a pas la démarche affairée d'un homme pressé, les yeux au sol. Il est calme, il est apaisé. Il avance en regardant devant lui, laissant les flocons de plus en plus nombreux lui piquer le visage. Il se rappelle qu'il aimait aussi faire des anges dans la neige tout autour de ses bonshommes. Et quand les flocons mouillaient son visage, il se disait que c'était lui qui se transformait en bonhomme de neige…

Sachant Virginie à la boutique pour la soirée, ses pas l'ont amené tout naturellement jusque devant la maison de Gilbert. Dans sa tête, au gré de sa longue marche, un immense jardin parsemé de papillons est né. Auprès d'une fontaine, il y a une jeune femme qui regarde ses deux petites filles en souriant. Et les petites filles s'appellent Sandrine et Marilou... Dans le cœur de Sébastien est née une grande paix qu'il a envie de partager avec Gilbert. Il ne sera plus jamais capable d'en vouloir à son père mais malgré tout, Gilbert gardera toujours une place privilégiée à ses yeux. C'est toujours lui le père qu'il aurait choisi s'il en avait eu l'occasion. Il grimpe l'escalier deux marches à la fois…

Un Gilbert endimanché, chemise amidonnée et cravate, lui ouvre la porte. Sébastien ne peut s'empêcher de sourire.

— Wow ! Mais t'es ben beau ! Aurais-tu perdu ton tablier à fleurs ?

Gilbert vire au rouge écarlate.

— Ben voyons donc ! C'est une farce plate ou quoi ? C'est juste que j'ai quelqu'un…

C'est au tour de Sébastien de rougir, comprenant qu'il a de fortes chances de déranger. Un peu déçu, il fait un pas en arrière.

— Je m'excuse. J'aurais peut-être dû prévenir.

— C'est quoi ces idées-là ? T'es ici chez vous… Pis reste donc pas planté à faire racines sur le palier, tu m'énerves avec tes airs malheureux. Rentre, j'vas te présenter…

Il s'appelle Langis. Bel homme, aussi viril que Gilbert est mère poule. Il a été marié, s'est vite aperçu de son erreur. Ils se sont rencontrés devant l'étal du boucher.

— Et il a deux enfants ! Isabelle, quatre ans et David, six ans. Des amours !

Et en disant cela, Gilbert a des étoiles dans les yeux. Puis, discret de nature, Langis se lève.

— Je vous laisse. À mon tour de faire les courses.

— Je ne veux pas…

— Toi, mon beau, pas un mot de plus, interrompt alors Gilbert. On est jeudi non ? On mange tous ensemble.

— Et c'est moi qui régale, poursuit Langis en enfilant son manteau. Tu devrais nous voir dans la cuisine ! Deux chefs pour un même chaudron, ça fait des étincelles…

Langis quitte l'appartement en sifflotant.

— D'abord une bonne bière froide pis après tu racontes, décrète Gilbert en se levant.

— Je raconte ?

— Tu t'es pas vu l'air, mon pauvre garçon, lance le gros homme par-dessus son épaule en se dirigeant vers la cuisine. T'as écrit dans la face que t'es aux petits oiseaux…

Et revenant avec les deux bières, il demande, une visible curiosité au fond du regard :

— T'as gagné le jackpot ou quoi ?

Sébastien ne peut retenir le sourire qui lui monte aux lèvres devant l'allure caricaturale de Gilbert qui roule de grands yeux curieux. Puis il répond d'une voix posée :

— Non, malheureusement… Mais, dans le fond, je pense que c'est encore mieux. J'arrive de l'hôpital, j'ai vu ma mère.

— Oh !

Le timbre de voix et l'allure du gros homme changent instantanément du tout au tout. D'un geste adroit, il relâche le nœud de sa cravate, détache un bouton de la chemise et glisse un doigt boudiné tout autour de son cou tout en se laissant tomber sur le divan fleuri.

— Et alors ? Déçu, heureux ?

— Ni l'un ni l'autre. Les mots ne sont pas justes… Je dirais plutôt que je suis soulagé. C'est ça, oui, soulagé… De voir finalement que ma mère n'est pas malheureuse. Et de comprendre enfin qu'elle ne nous a jamais volontairement abandonnés, Maxime et moi.

Pendant un moment, on n'entend que le crépitement du feu. Puis Sébastien reprend, pensif :

— Ma mère ne m'a pas reconnu… On m'avait prévenu mais tu sais ce que c'est, n'est-ce pas ? J'avais le vague espoir que peut-être… Mais qu'importe ? Malgré tout, Gilbert, aujourd'hui, ma mère m'a redonné mon enfance. Tout est clair maintenant. Et je sais que mon enfance est intacte. Personne ne m'a rien volé comme je me complaisais à le croire. Et je te dirais que ça m'a fait du bien de voir que je continue d'exister aux yeux de ma mère, à travers celle qu'elle appelle Sandrine… Sandrine qui dessine des papillons. Sandrine qui aime faire des bonshommes de neige mais qui déteste l'hiver. Une belle fatigante, oui, comme moi.

— Fatigante, fatigante… Pis quoi encore ? T'as le droit d'être ce que t'es, mon beau Sébas…

— Peut-être, oui. Comme mon père a le droit d'être ce qu'il est. C'est une des choses que j'ai enfin admises aujourd'hui. Il était temps… Sais-tu qu'il continue de visiter ma mère régulièrement ? Il lui parle de nous à travers Sandrine et Marilou. Jamais je n'aurais pensé que l'impassible Me Duhamel puisse… Plus jamais je ne pourrai lui en vouloir. Je comprends mieux maintenant. Dans le fond, il avait peur. Les taloches, les dessins déchirés, les mots durs, c'était peut-être malhabile, exagéré mais c'était parce qu'il avait peur que notre mère nous emmène dans sa folie et fasse de Maxime et moi des…

Sébastien s'interrompt brusquement, rouge écarlate. Gilbert qui a très bien deviné ce qu'il allait dire hausse les épaules.

— Des tapettes, enchaîne-t-il sans émotion apparente. N'aie pas peur des mots, Sébas. C'était peut-être malhabile comme tu dis mais c'était correct… J'suis bien placé pour le savoir… Pas toujours facile d'être une tapette dans notre société.

C'est au tour de Gilbert de demeurer silencieux pour un moment.

— Mais faut faire confiance, tout finit toujours par s'arranger. T'en es la preuve vivante.

— Ouais, peut-être bien après tout. Mais remarque que tu y es pour quelque chose. Tu m'as obligé à me regarder sans complaisance et j'en avais besoin.

— Bof, élude Gilbert en rougissant, balayant l'air devant lui de sa courte main. Faut bien que ça serve à quelque chose, les amis.

— En parlant d'amis… C'est qui au juste, Langis ?

— Langis ? Je l'aime beaucoup et je crois que pour une fois, c'est partagé.

— Je te le souhaite. Tu le mérites.

— Oh ! Tu sais, tout le monde mérite d'être heureux. Toi, moi, Langis…

— C'est vrai… Et en plus, il a deux enfants. Toi qui as toujours rêvé d'avoir des enfants…

Curieusement, Gilbert ne répond pas, alors que Sébastien s'attendait à une de ses envolées verbales remplies d'images expressives. Au contraire… Le front barré d'une ride, Gilbert se relève et vient attiser les flammes. Ce n'est qu'au bout d'un long silence, le dos tourné, le dos voûté, qu'il précise d'une voix très grave :

— Les enfants, c'est un couteau à deux tranchants, Sébas. Il y aura toujours des langues sales pour prétendre que des homosexuels avec des enfants, c'est dangereux. Et avec mon passé…

À ces mots, Sébastien bondit de son siège et, s'approchant du foyer, il s'accroupit pour être à la hauteur de son ami.

— Tu n'as pas le droit de penser comme ça, tu m'entends ? Pas le droit et pas raison. Je vais te répéter ce que tu m'as déjà dit : il n'y a que toi qui peux savoir. L'important, c'est en dedans de toi que ça se passe. Et malgré la façon dont on s'est connu, toi et moi, je sais que d'abord et avant tout, tu es un père dans l'âme. Un vrai. Comme j'ai toujours rêvé d'en avoir un. Alors laisse faire les langues sales. Moi je te dis que c'est une chance pour ces deux enfants-là de t'avoir croisé sur leur chemin. Un cadeau du ciel, comme pour moi.

— Tu crois ?

— J'en suis certain. Dans la vie, il arrive que le père d'adoption ait plus de prix aux yeux d'un fils que le père naturel. Mon père d'adoption, c'est toi. Et je tiens à toi, Gilbert. Beaucoup.

— Merci… Ça fait du bien à entendre.

— Bof ! C'est à ça que ça sert des amis, parodie gentiment Sébastien.

À ces mots, le gros homme se relève en s'appuyant contre les briques du foyer et Sébastien assiste encore une fois à la métamorphose. Le front se lisse, la bouche s'arrondit, les mains dansent leur invisible ballet devant la panse volumineuse de Gilbert. Alors Sébastien sourit. Il sait que le gros homme est heureux, que son optimisme proverbial a repris le dessus. Il suffit de si peu parfois. Simplement oser dire les choses comme on les pense, comme on les sent.

— Bon, lance Gilbert, maintenant le souper! T'avais raison: pas besoin d'une cravate pour un repas à la bonne franquette... Le temps de revêtir une tenue décontractée et on attaque. Et pas le droit de rouspéter, mon beau Sébas, tu restes manger ici.

— D'accord. Mais dès le repas fini, je file. J'ai tellement hâte de retrouver Virginie. Je crois qu'on en a pour une partie de la nuit à jaser, à faire des projets.

— Ah! L'amour, l'amour, lance Gilbert les bras au ciel en trottinant déjà vers sa chambre. Dans le fond, il n'y a que ça dans la vie. L'amour...

Et sur ce, il disparaît dans sa chambre en chantonnant un air de *Carmen* qu'il massacre joyeusement de sa voix de fausset...

Quatrième partie

Printemps 1998

Chapitre 11

« Y'a-tu quelque chose de vraiment facile dans la vie ? Même le bonheur des fois est pas facile à comprendre. »

Réflexion faite par Mélina à l'intention de Sébastien à l'été 1996

L'hiver a été pénible. De l'hôpital de Beauceville à celui de L'Enfant-Jésus à Québec en passant par le centre de réhabilitation, Cécile a parcouru la ville de Québec et sa banlieue un nombre incalculable de fois et dans tous les sens. Elle pourrait en dessiner le plan de mémoire avec exactitude. Elle est épuisée, certes, mais tellement heureuse de voir que Jérôme s'en est tiré relativement bien que sa fatigue passe au second plan. Tant pis pour les traits tirés, les cernes sous les yeux et les diverses courbatures, Jérôme lui est revenu et, ma foi, en assez bonne condition. Seule l'élocution reste laborieuse. Pour le reste, sa légère paralysie du côté gauche et la raideur de sa main, tout semble vouloir rentrer dans l'ordre. Par contre, pas question de mettre la cidrerie en marche, Jérôme a été le premier à le dire.

— Retraite. Temps prendre retraite.

Il parle difficilement, que des mots mis bout à bout, résumant péniblement sa pensée. Il enrage, cela se voit dans son regard, mais il n'y peut rien. Cécile, rompue à ce genre de communication avec de nombreux patients au fil des ans, s'est rapidement adaptée à leur nouveau genre de dialogue.

— Prends ton temps, Jérôme. Plus tu veux en dire, plus tu veux aller vite et moins tu y arrives.

Un coup de poing sur la table avait conclu leur entretien. Cécile n'avait pu retenir le sourire qui lui était venu spontanément aux lèvres. L'impatience de Jérôme lui faisait chaud au cœur. Son homme était bien vivant !

La mise en terre de Mélina avait été un moment de grande émotion. Il faisait une journée d'été comme la vieille dame aimait tant, une journée de brise douce dans les arbres à peine feuillus et de chants d'oiseaux à n'en plus finir. Main dans la main, Cécile et Jérôme étaient longtemps restés à côté de la tombe, silencieux. Cécile comprenait que cette partie de sa vie, ce temps vécu à la maison des Cliche auprès de Jérôme et sa mère avait été la plus belle tranche de sa vie. Elle comprenait aussi que c'était la présence de la vieille dame qui faisait en sorte que Jérôme et elle s'étaient sentis si jeunes, qu'ils avaient eu l'impression que leurs vingt ans leur étaient redonnés. « Ce doit être pour ça que le bon Dieu l'avait oubliée sur terre, notre chère Mélina. Tout simplement pour que Jérôme et moi, nous puissions vivre toute une vie en accéléré. Quand Mélina était avec nous, j'étais la jeune dame de la maison. Alors que maintenant... » Cécile l'avouait : elle se sentait vieillir rapidement depuis la mort de Mélina. « Faut dire que l'horaire a été plutôt chargé depuis quelque temps, pensait-elle à sa décharge. Maintenant que Jérôme va rester auprès de moi, ça devrait aller mieux. »

La lecture du testament de Mélina n'avait pas apporté de grandes surprises, la vieille dame ne s'étant nullement gênée pour en parler ouvertement de son vivant.

— La terre familiale revient au fils aîné ! C'est ainsi depuis des générations dans la famille Cliche et ça le restera. Seule la maison a été agrandie par Gaby mais la terre va d'un fils aîné à l'autre. Point à la ligne. Tout le reste ira à Judith.

Le notaire n'avait donc fait que confirmer ce que tous savaient déjà. Ce qui n'avait pas empêché l'éclat de déception que Jérôme avait décelé dans le regard de sa sœur. En sortant de chez le notaire, il n'avait eu que deux mots, voyant Judith s'engouffrer rapidement dans sa voiture pour retourner à Québec.

— Tête mule !

Cécile, surprise, l'avait regardé en fronçant les sourcils.

— Qui ça ? Judith ?

— Non. Maman !

Cécile avait éclaté de rire devant la mine butée de Jérôme.

— Oh ! Tu sais, ta mère était une vieille personne bourrée de principes aussi vifs qu'archaïques. Jamais elle n'aurait songé à déroger des promesses faites à son mari sur son lit de mort. Tu vois, Jérôme, ton père était comme moi : il a toujours continué d'espérer que tu reviennes un jour. Il s'entêtait à dire qu'un corps ne disparaît pas comme ça sans laisser de traces...

Jérôme n'avait pas répondu et ils n'en avaient pas reparlé jusqu'au matin où Jérôme lui avait tendu une longue lettre.

— Lis... Plus facile écrire...

Émue, Cécile avait pris la liasse de feuilles couvertes de la longue écriture déliée de Jérôme. Elle s'était retirée sur la galerie pour lire, s'installant par intuition dans la chaise berçante que Mélina affectionnait. Le grincement des cerceaux de bois usés contre le bois tout aussi fatigué de la galerie avait soutenu sa lecture. C'est un peu comme si Cécile venait partager ces instants avec la vieille dame.

Jérôme n'y allait pas par quatre chemins. À travers les mots simples et directs que son mari avait employés, Cécile retrouvait toute la vivacité de Jérôme. Il disait ne pas accepter la décision de sa mère. Et qu'à ses yeux, ce n'était pas manquer de respect à ses parents que de vouloir rétablir la justice.

« Judith, elle, n'a jamais déserté, écrivait-il crûment, sans la moindre complaisance envers lui-même. Sa présence était peut-être moins évidente ces dernières années, car elle savait pouvoir compter sur nous. Mais avant, je sais pour l'avoir entendu maintes fois dans la bouche de ma mère, je sais que Judith s'occupait d'elle et de la terre sans jamais compter ses heures. Cette terre lui appartient autant qu'à moi. Et comme je n'ai plus la force de m'occuper de la cidrerie ni l'envie de voir à louer les terres, nous allons rétablir l'équilibre. Ce n'est que justice de partager ce bien familial avec celle que malheureusement j'ai connue sur le tard. Si tu es d'accord, nous allons vendre tout de suite. Je sais que Judith et son mari ne roulent pas sur l'or et ce ne sont pas les quelques placements que maman lui laisse qui pourront changer quelque chose à leur situation. Cette vente devrait donc être la bienvenue pour eux. »

Suivaient les modalités qu'il avait choisies pour se départir de la ferme. Et Jérôme terminait par ces mots :

« Les retombées de cette vente seront donc partagées en deux. Quant au reste, nous respecterons la volonté de maman. Judith aura les quelques petits placements et les meubles tel que stipulé dans le testament. Je crois qu'ainsi je pourrai dormir tranquille. Sinon, j'aurais l'impression d'être un usurpateur. Bien entendu, tout cela est valable en autant que tu sois d'accord. Si tu préfères rester ici, nous reporterons cette vente. Je t'aime et ton bonheur passera avant tout. »

Les yeux pleins de larmes, Cécile avait laissé retomber ses mains sur ses genoux. Les feuilles de papier tremblaient entre ses doigts. Puis elle avait levé la tête et, d'un seul et immense regard, elle avait embrassé le paysage. Ici, c'était son bout du monde, l'endroit sur terre où elle avait enfin été pleinement heureuse. L'endroit où elle se voyait finir sa vie en coulant des jours paisibles avec Jérôme.

Et voilà que ce dernier voulait partir…

Sans même avoir besoin d'y penser, elle s'était relevée et avait emprunté le petit sentier qui remonte le long du champ de maïs jusqu'à la clôture de perche qui semble se dresser entre ciel et terre. Avec un peu plus de raideur que l'année précédente, elle s'était assise sur la perche de cèdre et là, à l'abri des oreilles indiscrètes, elle avait pleuré. Longtemps. Puis elle était revenue à la maison dire à Jérôme qu'elle respecterait sa volonté.

— C'est toi qui décides. Où que l'on soit, si tu es près de moi, je suis heureuse.

Jérôme l'avait prise contre sa poitrine et l'avait tenue très fort pendant un long moment. Puis il avait eu ce mot :

— Merci.

* * *

La visite de Jérôme et Cécile est joyeuse. Malgré la surprise d'apprendre que la ferme avait été vendue, Dominique était heureuse de savoir que bientôt ils allaient habiter la ville.

— L'heure de la retraite a sonné, avait joyeusement lancé Cécile. On revient en ville. Jérôme et moi. On pense voyager un peu avant qu'il ne soit trop tard. Et on veut profiter des théâtres, des expositions, des restaurants et de toutes ces petites choses que la ville nous offre.

— Hé ben ! Pour une nouvelle, c'est toute une nouvelle ! Moi qui croyais que vous vouliez finir vos vieux jours en campagne… Comme quoi on peut se tromper, n'est-ce pas ?

— À qui le dis-tu, avait répliqué curieusement Cécile. Mais Jérôme a raison, avait-elle ajouté, confirmant ainsi que Jérôme était à l'origine de cette idée, ce dont Dominique se doutait. La campagne, c'est bien beau, mais la ville aussi a du charme. Et on a décidé d'en jouir un peu. Au début, je trouvais ça un peu difficile à la pensée de quitter la Beauce, mais c'est fait maintenant et finalement, je suis heureuse de cette décision. Il est temps qu'on pense à nous.

— Hé ben…

Dominique était à court de mots. Elle était un peu déçue, ayant toujours aimé se retrouver sur la terre de Jérôme mais, avec son intuition habituelle, elle devinait que des raisons importantes, même si elles étaient obscures à ses yeux, avaient probablement dicté ce choix.

— Et la vente ? Ça s'est bien passé ?

— À peine un mois pour trouver preneur. C'est la cidrerie surtout qui intéressait les éventuels acheteurs. Et la maison. C'est vrai que c'est une belle grande maison, entretenue à la perfection. Et pour être bien certain qu'on ne changerait pas d'idée, l'acheteur tenait à passer tout de suite chez le notaire. C'est ce qu'on a fait la semaine dernière.

À ces mots, Cécile avait glissé un regard vers Jérôme. Malgré tout ce qu'il lui avait dit et écrit, ce moment avait été difficile à vivre pour lui. Cécile se rappelait à quel point sa main tremblait lorsqu'il avait signé l'acte de vente. Alors, comme c'était elle désormais qui se faisait le porte-parole du couple en public, posant amoureusement sa main sur la jambe de Jérôme, elle avait conclu :

— Ce qui nous fait le plus drôle, c'est de se dire qu'on n'est plus chez nous ! Pour les deux prochains mois, on va payer un loyer au nouveau propriétaire… Et maintenant, si on parlait d'autre chose ?

— Bonne idée ! Allez m'attendre sur la terrasse à l'arrière et j'apporte un gros pot de limonade. C'est fou comme il fait chaud depuis quelques jours.

Et c'est ainsi qu'ils passent l'après-midi. Des appartements à louer à la possibilité d'acheter un condo, des musées à visiter au voyage en France que Cécile et Jérôme se sont promis de faire dès l'automne, ils parlent à bâtons rompus.

— Et si vous restiez souper ? Allez, dites oui, insiste Dominique lorsqu'elle voit Cécile se tourner vers Jérôme. André serait sûrement heureux de vous voir. Et Geneviève aussi.

Pendant un bref moment, Cécile et Jérôme se regardent. Puis c'est Jérôme qui se décide à répondre.

— Merci… Autre fois.

Dominique est visiblement déçue.

— Dommage. C'est si rare que vous venez nous voir…

— C'est vrai. Mais maintenant, nous allons être tout près et promis, nous allons rattraper le temps perdu.

De nouveau, Cécile fixe Jérôme brièvement puis elle revient à sa fille.

— Vois-tu, Dominique, fait-elle d'une voix très douce, quitter la Beauce, c'est un peu comme vivre un deuil. Nous devons nous faire à l'idée tout en douceur. C'est vrai qu'on est heureux de s'en venir en ville, mais c'est vrai aussi qu'on est triste de quitter ce coin de pays qu'on aimait beaucoup, Jérôme et moi. Et quand il fait aussi beau qu'aujourd'hui, le soir après souper, on aime bien se promener le long du sentier qui remonte jusqu'à la sucrerie. Je sais que ton père y tient comme à la prunelle de ses yeux.

« Ton père… » Il est rare, pour ne pas dire que c'est la première fois, que Cécile parle de Jérôme comme étant son père. À ces mots, Dominique a un battement de cœur discordant.

— D'accord. Je comprends, concède-t-elle, pensive, émue. Mais vous me promettez qu'on se reprend bientôt, n'est-ce pas ?

— Promis.

Puis Cécile éclate de rire.

— Tu vas nous voir tellement souvent quand on va habiter

ici que tu vas demander grâce ! Maintenant, on va y aller...

Ce n'est qu'au moment où il s'assoit dans l'auto que Jérôme remet une enveloppe à Dominique. D'un regard, il demande à Cécile d'expliquer.

— Ça, c'est pour toi. Jérôme voulait te parler de quelque chose et c'est la façon la plus simple qu'il a trouvée pour s'expliquer. Tu liras ça quand tu auras un moment...

Enfouissant l'enveloppe dans la poche de son pantalon, Dominique se penche à la portière pour embrasser Cécile.

— À bientôt, alors. Et soyez prudents !

Ce n'est qu'après avoir préparé le souper et mis la table que Dominique repense à la lettre. Un verre de vin blanc bien froid à la main et confortablement installée sur la terrasse, elle se décide enfin à l'ouvrir, curieuse de voir ce que Jérôme peut avoir à lui dire. De l'enveloppe s'échappent quelques feuilles lignées comme en utilisent les étudiants et une seconde enveloppe, plus petite. La longue écriture de Jérôme est facilement lisible et, se calant contre le dossier du fauteuil, Dominique se met à lire en sirotant son vin.

« *Dominique,*

Le plus beau cadeau que la vie m'ait donné, c'est toi à travers l'amour que j'ai pour Cécile. Je ne suis pas un homme capable d'épancher facilement ses émotions, mais je crois qu'il est important parfois de savoir dire les choses comme on les sent. Depuis le tout premier instant où ta mère m'a appris ton existence, je t'ai aimée et, tout au long des années vécues au loin, souvent je pensais à notre petite Juliette. C'était là le nom que nous avions choisi pour toi. Et sache aussi, Dominique, que la décision de ne pas te garder ne venait pas de nous. Je ne sais pas si Cécile te l'a déjà dit, mais je veux que tu sois assurée que jamais nous n'avons voulu t'abandonner. Nous rêvions, Cécile et moi, d'une existence remplie d'enfants où tu aurais été l'aînée. Mais la vie en a décidé autrement. Je remercie simplement le ciel d'avoir permis que ce soit René et Thérèse qui croisent ta route. Tu as eu les meilleurs parents qu'il soit possible d'espérer.

Est-ce la peur de mourir que je viens d'avoir qui me rend si nos-

talgique? Peut-être bien. Mais depuis quelques semaines, je pense à toutes ces années où tu étais enfant. J'aurais aimé te voir faire tes premiers pas et t'entendre dire tes premiers mots. Mais c'est là une des joies de l'existence qui m'a été refusée. Je ne suis pas amer, je regrette simplement de n'avoir pu t'offrir la présence à laquelle tu avais droit. Ma récente maladie m'a fait comprendre bien des choses. À commencer par le simple constat que la vie est précieuse et ceux que l'on aime aussi. Je tenais à te le dire.

Après quelques détours, voici le but de cette lettre. Comme nous venons de te l'apprendre, Cécile et moi, la ferme a été vendue. Dans un premier temps, c'était pour Judith, ma sœur. Je crois que ce lopin de terre lui appartenait tout autant qu'à moi et je voulais qu'elle puisse en profiter tout comme nous. Et il y avait toi…

Comme je viens de te l'écrire, je regrette de n'avoir pu être plus présent pour toi. Tu es et resteras le seul être à qui j'aurai donné la vie. Même si je peux très bien concevoir que tu aies plus d'attachement pour René et Thérèse que pour moi, il n'en reste pas moins que tu es ma fille et que je t'aime. Tu trouveras donc dans cette enveloppe la part qui te revient. J'aurais pu attendre et te laisser cet argent à ma mort… Je trouve cette façon d'agir un peu ridicule. J'ai toujours pensé que le rôle d'un père était de faire en sorte que son enfant soit heureux. Et si grâce à ce pécule tu peux t'offrir quelques douceurs, ce sera ma façon à moi de remplir mon rôle de père. Piètre compensation à mon absence, mais je te l'offre du fond du cœur. C'est un peu pour cette raison que je tenais à vendre la ferme tout de suite. Je veux avoir le temps de te voir heureuse. Comme tu peux le constater, c'est finalement à moi que je fais plaisir. Je n'attends en retour ni remerciement, ni élan d'affection particulier. La vie a fait en sorte que nous soyons éloignés l'un de l'autre si longtemps qu'il est normal d'avoir développé des attachements autres que ceux qui auraient pu exister entre nous. Par contre, voilà ce que je considère comme une chance de me rattraper. Je ne fais que ce que j'aurais dû faire au cours de ta vie, te rendre heureuse. Mais je le répète, c'est à moi que je pense en agissant ainsi. Je t'aime. Jérôme. »

Pendant un long moment, Dominique reste immobile, figée. Elle a l'impression qu'une grosse boule d'émotions a remplacé son cœur. Les mains tremblantes, elle dépose le verre de vin qu'elle n'a pas fini de boire. Puis les larmes viennent. Déchirantes. De longs sanglots bruyants secouent ses épaules alors qu'elle tient contre sa poitrine les feuilles d'écolier où Jérôme, son père, lui dit à quel point il l'aime. C'est ainsi qu'André la trouve, le visage défait par les larmes, les yeux bouffis et rouges, la lettre d'une main et le chèque dans l'autre. Aussitôt, il s'inquiète :

— François ? demande-t-il.

Dominique lui répond entre deux hoquets.

— Si on veut…

Puis voyant le visage d'André blêmir, elle se reprend aussitôt :

— Non, non, ce n'est pas ce que tu crois… Je ne suis pas triste. Juste émue. Tiens, fait-elle en lui tendant la lettre. Lis pendant que je vais rafraîchir mon vin et t'en chercher un verre. Tu vas comprendre…

Quand elle revient sur la terrasse, André a le regard brillant.

— Mais c'est une fortune que Jérôme te donne.

— Oui.

Dominique est pensive, visiblement bouleversée.

— Oui, répète-t-elle, c'est beaucoup d'argent. Mais ce que Jérôme vient de me donner vaut beaucoup plus que ça…

Levant les yeux vers son mari, Dominique ajoute :

— Je suis une privilégiée, André. J'ai eu et j'ai encore deux pères et deux mères. Et chacun d'entre eux, à sa façon, a tenté de me rendre heureuse. Et moi qu'est-ce que je fais ?

Pendant un instant, Dominique reste silencieuse, prenant de profondes respirations. Puis elle reprend, la voix tremblante en regardant son mari droit dans les yeux :

— Pendant ce temps, j'offre à mon fils la pitoyable image de ma peur face à une maladie qui va probablement le faire mourir avant moi. Il est temps de rétablir les choses, André. Qu'est-ce que tu penserais d'un voyage à Montréal, samedi ? J'ai envie d'embrasser ma petite-fille et j'ai plein de choses à dire à François…

* * *

Quand Cécile et Jérôme reviennent de leur promenade quotidienne, le soleil n'est plus qu'une boule orangée derrière les sapins, dessinant des ombres gigantesques sur le parterre, devant la maison. La cuisine est plongée dans la pénombre et dès qu'ils entrent dans la maison, le clignotant rouge du téléphone attire l'attention de Jérôme. Il lève un doigt en pointant l'appareil de l'autre main pour signifier à Cécile qu'il prend les messages.

Le temps de signaler le code, d'écouter un instant puis il se tourne vers Cécile, le teint cireux.

— Prends, dit-il en lui tendant le combiné.

Inquiète, Cécile s'approche pendant que Jérôme sort de la cuisine pour s'asseoir sur la galerie. Cécile signale le code à son tour.

— Bonsoir Jérôme. C'est Dominique. Je veux juste te dire merci. Pour l'argent, bien sûr. C'est beaucoup trop… Mais… Mais aussi pour ce que tu m'as écrit. Je… J'étais à un moment difficile de ma vie face à François. Je… Ce que tu as dit en parlant des parents. Tu sais, voir son enfant heureux… Tu as raison. Et moi, je l'avais peut-être un peu oublié. Tu écris regretter de ne pas avoir été présent, mais c'est toi, finalement, qui m'auras donné la plus belle leçon d'amour de toute ma vie. Alors, ton rôle de père, comme tu dis, tu viens de le remplir. Et ça vaut pour toutes les années où tu n'étais pas là. Grâce à toi, je viens de retrouver la paix. C'est le plus beau cadeau que tu pouvais me faire. Et avec l'argent que tu me donnes, je vais continuer la chaîne d'amour. Je… C'est tout. Merci. Je… Moi aussi je t'aime, Jérôme. Je t'aime, papa…

Cécile repose le combiné tout doucement comme si elle avait peur de rompre un charme. La cuisine est maintenant complètement sombre, mais elle n'a pas envie d'allumer le plafonnier. La joie qu'elle ressent est comme une grande lumière en elle et cela suffit.

De l'extérieur lui parviennent les cris des premiers oiseaux nocturnes, et la plainte de la berceuse usant un peu plus le vieux bois de la galerie est une chanson d'amour…

Chapitre 12

« Ce n'est pas être faible que d'avouer avoir besoin d'aide.
Au contraire… Et ce n'est pas lâche que d'avoir peur.
L'important, c'est de ne pas s'y complaire. »

Sagesse de Gilbert, partagée avec François à l'été 1996

Si l'hiver a été difficile pour Cécile et Jérôme, il a été ponctué de tristesse et marqué d'une grande inquiétude chez François. Après une période des Fêtes plutôt froide, le réveillon se passant chez son frère Frédérik en l'absence de Cécile et Jérôme et accompagné des sourires forcés de sa mère, François et Marie-Hélène étaient revenus bouleversés à Montréal, convaincus plus que jamais que l'époque des séjours réguliers à Québec était révolue. Mais ce n'était rien à côté de l'inquiétude qui allait traverser leur vie.

Lors de ce voyage, Marie-Hélène avait attrapé une vilaine grippe. Quelques jours plus tard, elle entrait d'urgence à l'hôpital. Prévenus en catastrophe, les parents de Marie-Hélène avaient appris la nouvelle concernant l'état de santé de leur fille unique avec un stoïcisme remarquable. Profonds croyants, ils s'en étaient remis à Dieu, avaient plié bagages et étaient aussitôt venus prêter main-forte à François qui, de son côté, n'avait avisé personne de sa famille. À quoi bon inquiéter Cécile qui en avait déjà plein les bras ? Quant à ses parents, François avait éludé la question. Il ne voulait même plus penser à eux malgré le fait qu'André ait pris la relève de sa mère ces derniers mois et venait régulièrement aux nouvelles.

François et ses beaux-parents s'étaient donc relayés auprès de Laurence qui grandissait à vue d'œil et au chevet de Marie-Hélène qui, après deux semaines de lutte acharnée, avait recommencé à respirer sans assistance. Pour cette fois-ci, l'infection était enrayée. Marie-Hélène était sortie de l'hôpital un mois plus tard, affaiblie, amaigrie. Le protocole de traitement entrepris au début de sa grossesse semblait bien ne pas vouloir donner les résultats escomptés. Le système immunitaire de Marie-Hélène n'avait pas répondu à ce virus de la grippe. Le médecin avait donc changé certains médicaments, en avait ajouté d'autres. Pourtant, il restait confiant d'arriver à contrer la maladie. Seule Marie-Hélène ne savait plus trop si elle y croyait vraiment. Mais elle était de retour et François avait recommencé à respirer lui aussi. Quelques jours plus tard, devant la force morale apparente de leur fille, Alexandre et Adeline Courtois retournaient chez eux afin de redonner toute son intimité à la petite famille. Si ce n'avait été de leur foi profonde, ils auraient été démolis, car il semblait évident que François et Marie-Hélène n'auraient pas la chance de vieillir ensemble. Leur fille n'était plus que l'ombre d'elle-même.

C'est alors que Marie-Hélène avait flanché. Elle avait eu peur de mourir et cette peur avait engendré une réflexion qui teintait désormais toute sa vie. Elle se sentait si faible, sans énergie qu'elle n'arrivait pas à croire le médecin qui affirmait qu'avec le temps, tout rentrerait dans l'ordre. Elle était persuadée qu'une certaine frontière était franchie et qu'on ne voulait pas le lui confirmer. À un point tel que maintenant elle avait peur de contaminer sa fille au moindre contact. Elle n'osait même plus l'approcher. Après quelques jours de crise au sein de leur famille, ne pouvant manquer le travail à répétition encore plus longtemps, François avait réussi à convaincre Marie-Hélène de rencontrer le docteur Samuel. Seule une longue discussion avec son médecin avait finalement eu raison de sa panique, statistiques et preuves à l'appui. Pour l'instant, Marie-Hélène n'était pas plus contagieuse qu'avant. Les règles de prévention restaient les mêmes et seul le temps saurait dire si le nouveau traitement était plus efficace. Elle était revenue chez elle rassurée, un peu plus calme, et la vie avait repris son cours. Malgré cette épreuve, Marie-Hélène avait gardé son sourire. Elle faisait preuve d'un courage qui forçait l'admiration de François. À sa place, François en aurait voulu à l'univers entier. Il s'occupait de plus en plus de Laurence pour aider la convalescence de Marie-Hélène et, contrairement à l'attitude qu'elle avait eu avant, celle-ci n'opposait aucune résistance. Au contraire, chaque fois que François et Laurence étaient ensemble, un sourire très tendre, un peu énigmatique illuminait son visage désormais trop mince. La vie de famille avait pris pour eux un sens nouveau, profond et ils multipliaient les moments privilégiés à trois. Finies les escapades à Québec ou dans la Beauce, ils voulaient vivre pour eux tout simplement, un jour à la fois.

C'est pourquoi, en ce beau samedi matin de mai, François ne peut s'empêcher de faire la grimace lorsque la sonnette d'entrée se fait entendre.

— Sapristi ! Pas moyen d'avoir la paix. Veux-tu bien me dire qui peut nous...

— Probablement les Témoins de Jéhovah, suggère Marie-Hélène en levant les yeux du journal qu'elle feuillette. Il n'y a qu'eux pour oser déranger les gens à une heure pareille le samedi matin. Pourquoi t'en faire ? Ça ne changera pas nos projets de pique-nique... Tu veux que je m'en occupe ?

— Laisse, j'y vais, fait François en soupirant d'impatience alors que la sonnette vient de tinter pour une seconde fois. Qu'ils ne réveillent pas Laurence, sinon ils vont avoir affaire à moi !

Il parcourt le couloir avec impatience et ouvre le battant avec humeur, s'apprêtant à dire sa façon de penser sans ménagement. Il lève la tête, ouvre la bouche, la referme sans dire un mot. Devant lui se tiennent Dominique et André, visiblement mal à l'aise. François fronce les sourcils. Que font-ils là ? Ils ne sont pas censés venir ici, dans la maison des pestiférés... Un invisible rideau de tension se dresse aussitôt entre eux. Brusquement, François aurait envie de leur crier de s'en aller, qu'il n'a plus besoin d'eux, en même temps qu'il voudrait se jeter dans leurs bras en demandant pardon. C'est ridicule mais c'est là, en lui, très réel... Au lieu de quoi, il recule d'un pas en rougissant.

— Vous entrez ?

D'un geste, il les invite à passer au salon, comme on le ferait avec des connaissances qui ne viennent pas souvent, qu'on connaît à peine.

— Installez-vous, je reviens. Je vais prévenir Marie de votre présence.

Le ton est poli, réservé. Mais François a à peine le temps de se retourner que Marie-Hélène arrive déjà avec Laurence dans les bras. Dominique a un coup au cœur. À la fois pour Marie-Hélène qui semble si fragile et pour Laurence. À Noël, ce n'était encore qu'un bébé enjoué. Aujourd'hui, c'est une petite fille souriante. Elle qui rêvait d'avoir une petite-fille, elle ne l'a pas vue grandir. Dès qu'elle aperçoit ses grands-parents, Laurence fronce les sourcils avant d'enfouir son visage dans le cou de sa mère. Elle ne reconnaît pas Dominique et André. La petite est gênée…

— Maman, murmure-t-elle, catégorique, en resserrant l'étreinte de ses bras autour du cou de Marie-Hélène.

Cette dernière sourit et d'un regard elle excuse sa fille auprès des grands-parents.

— Elle ne vous reconnaît pas. Et depuis quelque temps, elle est très sensible aux nouveaux visages… Mais ça ne dure habituellement pas longtemps.

Contrairement à François, Marie-Hélène semble détendue et heureuse de voir Dominique et André. Déposant Laurence dans les bras de son père, elle se retourne vers ses beaux-parents.

— À cette heure-ci, vous ne refuserez pas un bon café, n'est-ce pas ?

André accepte, alors que Dominique ne répond pas tout de suite. De nouveau, la tension est presque palpable. Marie-Hélène sent que François est tendu comme une corde de violon. Elle prend aussitôt les devants. Aussi bien mettre les choses au clair tout de suite, les relations entre eux sont déjà suffisamment pénibles ainsi.

— Je connais la peur qui vous guide, Dominique, dit-elle alors sans détour, devinant aisément la raison qui motive l'hésitation de sa belle-mère. Et je ne vous en veux pas. Il y a tellement de gens comme vous. C'est humain d'avoir peur. Mais je vous assure qu'il n'y a aucun danger à accepter un café. Jamais je n'oserais faire prendre quelque risque que ce soit à qui que ce soit… Je… Même si je fais peur à voir, il n'y a aucun danger. J'ai eu une vilaine grippe qui a tourné en pneumonie, mais tout est réglé maintenant et je ne suis pas plus contagieuse qu'avant.

Jamais François n'a autant admiré Marie-Hélène qu'en ce moment. Jamais il n'aurait osé, mais c'était exactement ce qu'il fallait dire. D'un seul coup l'atmosphère se détend malgré le petit sourire triste de Dominique, qui sous-entend que Marie-Hélène a mis le doigt sur une plaie encore sensible. Pourtant, Dominique lève la tête et plante franchement son regard dans celui de la jeune femme.

— D'accord, c'est vrai qu'un bon café serait le bienvenu...

Quand Marie-Hélène revient avec le plateau, Laurence, assise à même le plancher, dévisage sa grand-mère avec le plus vif intérêt. La jeune femme éclate de rire.

— C'est fou comme Laurence vous ressemble, lance-t-elle en déposant le cabaret sur la table. On dirait une Dominique en miniature. Et j'ai l'impression que Laurence s'en est rendu compte! Avez-vous vu comment elle vous regarde?

— Oui, j'ai remarqué, fait la grand-mère à la fois émue et amusée. On est en train de faire connaissance, elle et moi.

Levant la tête vers Marie-Hélène, elle ajoute, une pointe d'envie dans la voix:

— Ta fille arrive à l'âge merveilleux! Celui de la découverte de ses possibilités, de l'autonomie et des grands espaces. C'est au moment où François est arrivé à cet âge-là que j'ai pris la décision de ne plus retourner au travail. Je ne l'ai jamais regretté.

— François et moi avons opté pour la même conduite. Je veux voir grandir ma fille. À chaque moment qui passe...

Il y a une telle intensité douloureuse dans la voix de Marie-Hélène que pour un instant un silence embarrassé envahit le salon. C'est Marie-Hélène qui brise ce silence en reprenant tout doucement:

— Je suis d'accord avec vous, Dominique. C'est vrai que Laurence est de plus en plus merveilleuse à voir grandir. Elle cherche à nous dire tellement de choses à travers les quelques mots qu'elle connaît. J'aimerais me rappeler ce que l'on vit quand on a dix-huit mois.

À ces mots, André dessine un sourire en coin.

— C'est drôle, mais souvent Dominique et moi on se disait la même chose. Comme quoi il n'y a rien de bien nouveau sous le soleil. Les générations se suivent et finissent toujours par se ressembler.

Mots banals. Incongrus… François ne comprend pas. Qu'est-ce que ses parents sont venus faire ici?

— Si on veut, tranche-t-il alors d'une voix impassible, glaciale même, ramenant aussitôt l'inconfort entre eux. Mais disons qu'il arrive sûrement que les intentions soient différentes. Tu ne crois pas, papa? Et j'irais même jusqu'à dire que les sentiments non plus ne sont pas pareils. Avec le recul, j'ai des doutes quant aux prétendues ressemblances.

François est assis sur le bord d'un fauteuil et, du regard, il dévisage ses parents à tour de rôle. Entre ses doigts, la tasse de café tremble légèrement. Cette conversation lui semble fausse. À un point tel qu'il a la subite envie de demander à ses parents de partir.

— Je m'excuse papa, mais je ne vois pas ce que vous êtes venus faire chez nous. On s'apprêtait à préparer un pique-nique, Marie et moi. Alors vous dérangez.

Tout en parlant, François a déposé sa tasse sur une table et il s'est levé. S'approchant de sa mère, il s'arrête devant elle et la darde d'un regard étrange, à la fois dur et blessé.

— Il me semblait que tu voulais garder tes distances? Le sida te fait peur, maman. L'aurais-tu oublié? C'est à peine si tu me parles depuis un an. Tu n'appelles même plus. Comme si les microbes pouvaient te sauter dessus à distance… Et là tu débarques chez nous sans crier gare. Tu es assise dans notre salon et tu bois notre café. Je ne comprends pas… Si tu as une bonne raison, dis-la. Ou alors va-t-en. Ne viens pas tourner le fer dans la plaie. J'ai eu suffisamment mal comme ça.

Le silence qui s'abat sur le salon est lourd, dense à couper au couteau. Marie-Hélène regarde François intensément, avec un amour immense. Elle sait la douleur que sa mère lui a imposée par son recul. Elle sait aussi le courage que la vie leur demande d'avoir, jour après jour. Alors elle comprend les paroles de François. Même si elles sont dures, même si elles risquent de fermer certaines portes à tout jamais. François n'avait pas le choix de dire ces mots, pour lui, pour eux. Ils n'ont plus de temps à perdre pour des tristesses qui viennent d'ailleurs. Ils ont les leurs et elles sont amplement lourdes à supporter. Par la fenêtre ouverte sur l'été, le chant des oiseaux perchés dans l'arbre près du balcon résonne drôlement à ses oreilles. Il est à la fois agressant et très doux. Sur le plancher, indifférente au drame qui se vit près d'elle, Laurence s'amuse avec quelques blocs qu'elle a dénichés sous le canapé. Incapable de résister, Marie-Hélène se relève et vient chercher sa fille. D'un geste possessif, elle la prend tout contre elle, comprenant ce que l'image peut avoir de blessant pour les parents de François. Mais c'est plus fort qu'elle: Marie-Hélène a besoin de sentir la chaleur de son bébé.

Contrairement à ce que François anticipait, Dominique n'a pas baissé les yeux. Elle soutient longuement le regard de son fils et c'est tout un dialogue muet qui se déroule entre eux. Peur, douleur, regret... Puis à son tour Dominique dépose sa tasse et, faisant taire la peur qui subsiste toujours en elle, puisant son courage à même les mots de la lettre de Jérôme, elle se lève et se tenant tout près de François elle tend le bras, effleure son épaule, caresse sa joue.

— Je t'aime, François.

Les mots de Jérôme sont là, présents en elle, et le regard de François, portant toute la tristesse du monde, la fouille jusqu'au fond de l'âme... De grosses larmes coulent sur le visage de Dominique. Larmes de douleur à cause de la lutte en elle entre la peur et l'amour. Cette brûlure qui fait mal, si mal. Et brusquement, la voix de Jérôme qui s'interpose dans sa tête avant de prendre toute la place: « Le rôle des parents, c'est de rendre leurs enfants heureux... » Dominique, la fille de Jérôme, la mère de François. Dominique qui a mal, elle aussi, comme son fils... Alors, faisant le dernier pas qui la sépare de François, Dominique ouvre tout grand les bras.

— Pardon, mon grand...

Ils ont passé la journée ensemble. Ils ont pique-niqué dans le parc devant la maison, sous les grands arbres du Carré Saint-Louis. Ils ont parlé de l'été qui arrivait, du jardin de grand-papa René, de la ferme qui avait été vendue. Puis François a proposé de souper ensemble. Devant la mine épuisée de Marie-Hélène, Dominique a décliné l'invitation.

— Une autre fois... Je crois que Marie-Hélène a surtout besoin d'une soirée tranquille. Mais nous restons en ville. Nous sommes descendus dans un hôtel, tout près d'ici. Si on déjeunait ensemble demain ?

Et en posant cette question, Dominique avait un air mystérieux qui avait alimenté la curiosité de François durant toute la soirée...

Au matin, les nuages ont remplacé le merveilleux soleil de la veille. Derrière les persiennes, la journée est sombre et on entend les gouttes de pluie qui frappent au carreau. François s'étire en grimaçant.

— Zut ! Et moi qui voulais organiser un petit déjeuner sur le balcon... Mon plan est à l'eau, c'est le cas de le dire ! Ça ne me tente même pas de sortir pour aller bruncher dans un restaurant. Entends-tu le déluge ?

— Ouais, j'entends... Pas fameux comme temps... Mais si je me souviens bien, on doit avoir tout ce qu'il faut pour cuisiner une bonne omelette. On a du pain, des confitures et peut-être même des croissants au congélateur. De toute façon, avec Laurence, rien ne vaut un bon repas à la maison. Tu sais comment elle est au restaurant... Appelle tes parents et invite-les à se joindre à nous... Si ça leur convient, bien entendu.

À peine une allusion à la journée d'hier dont ils n'ont pas reparlé, François et elle. Pendant un long moment, ils se regardent intensément. Puis François hausse les épaules.

— Tout un virage, n'est-ce pas ? Je ne m'attendais pas à ça... En fait, je l'espérais sans y croire.

— Tant mieux si ta mère arrive à contrôler sa peur. Et ça vaut autant pour nous que pour elle, tu sais.

— Je sais... Ça va probablement laisser des cicatrices. Mais au moins, la plaie va finir par guérir. Tant mieux... C'est affreux comme impression d'en vouloir à sa mère. Je n'étais pas bien. Je ne m'aimais pas...

— Je peux comprendre...

Puis Marie-Hélène envoie valser les couvertures d'un pied léger.

— Un problème de moins... Sans vouloir banaliser les choses, je crois qu'il vaut mieux tourner la page sans trop s'attarder. Il y a eu assez de larmes versées, de douleur et de rancune dans toute cette histoire...

Puis en bâillant elle ajoute :

— Alors, tu prends la salle de bain ou j'y vais ? Si on veut avoir le temps de préparer le repas, on est mieux de s'y mettre. Mademoiselle notre fille ne va pas tarder à réclamer ses céréales...

Pour une fille qui dit ne pas vouloir s'attarder sur le passé, Marie-Hélène a tout de même gonflé quelques ballons et les a suspendus au luminaire. Elle a pris le bouquet de marguerites que François lui offre chaque semaine et qui trône habituellement sur la tablette du foyer et l'a déposé au centre de la table. Une nappe bleu faïence, souvenir de leur voyage en Provence, quelques serviettes de table jaune soleil comme les murs de la pièce et la cuisine prend des allures de fête. Marie-Hélène a le cœur tout léger. Quand Dominique pousse un petit cri de surprise, la jeune femme se met à rougir.

— C'est un peu comme un jour de fête, non ?

— Tu ne saurais si bien dire...

Et encore une fois, François surprend un sourire qui l'intrigue.

Ce n'est qu'à la fin du repas que Dominique se décide enfin à parler.

— Et maintenant, que diriez-vous de passer au salon pour prendre un dernier café ? J'ai quelque chose à vous dire.

Pour un moment, Dominique semble concentrée sur la vue du parc. Les allées sont encore détrempées, mais on commence à entrevoir des trouées dans les nuages et la pluie a cessé.

— Avec un peu de chance, on pourra peut-être aller se promener avant de repartir, fait-elle banalement. On dirait que le soleil veut percer...

Puis elle ramène les yeux sur le salon qu'elle détaille un instant.

— Vous avez un bel appartement. J'aime les vieilles boiseries et vous l'avez bien aménagé. La chambre de Laurence est un vrai bijou...

Puis à brûle-pourpoint, elle demande en regardant successivement Marie-Hélène et François :

— Y tenez-vous beaucoup ?

— Oui !

— Non !

Marie-Hélène et François éclatent de rire ensemble.

— Oui et non, explique François. Oui, justement pour les mêmes raisons que toi. Le cachet, le parc, le foyer... Non, parce que ce n'est qu'un appartement, après tout. Et avec Laurence et tout le tralala qu'il faut trimbaler pour elle, l'escalier commence à nous taper sur les nerfs... Mais on a quand même renouvelé le bail. Il y a le parc, les commerces à distance de marche... Pourquoi cette question ?

— Pour savoir...

De nouveau, Dominique laisse planer un silence mystérieux avant de demander :

— Vous n'avez pas pensé à vous acheter une maison ? Il me semble que ça serait bien pour Laurence d'avoir un jardin, une balançoire... Vous ne trouvez pas ?

François a froncé les sourcils. Sa récente agressivité envers ses parents refait surface sur-le-champ. Mais qu'est-ce que c'est que cet interrogatoire, ce matin ? Une autre façon de... D'un soupir, il arrête sa réflexion.

— On est comme tous les autres jeunes, maman, explique-t-il le plus calmement possible. On n'a pas les moyens de s'offrir une maison tout de suite. Et probablement qu'on ne les aura jamais, ajoute-t-il, impatient, colérique. Ou ce sera le temps qui va nous manquer, ou ce sera l'argent, ou les deux... Les projets à long terme, vaut mieux les oublier dans notre cas.

— On pense donc la même chose…

Le sourire de Dominique a disparu.

— Mais ce n'est pas le… votre… Merde que j'ai de la difficulté à prononcer ce mot. Je le trouve laid, tellement laid…

Prenant une profonde inspiration, elle poursuit sur le même ton :

— Ce n'est pas à cause du sida que vous allez arrêter de vivre pour autant, lance Dominique comme si elle était exaspérée. Maladie maudite… Raison de plus pour vivre tout ce qu'il vous est possible de vivre rapidement. On ne sait jamais…

— On pense la même chose, laisse tomber François en parodiant sa mère, ne comprenant pas où elle veut en venir. Mais ça ne change rien au fait que…

— Laisse-moi finir. L'idée vient peut-être de moi, en accord avec ton père, mais la réalisation de cette idée vient de Jérôme. Tiens, prends ça.

Ouvrant son sac à main, Dominique retire une enveloppe qu'elle tend à son fils.

— Tu l'ouvriras quand nous serons partis. Mais ça devrait suffire à réaliser quelques projets. À court terme. Moi, je vois une maison, mais c'est à vous de décider… Et maintenant, que diriez-vous d'une promenade ? J'ai envie d'offrir une gâterie à ma petite-fille. Après tout, c'est à ça que servent les grands-parents, non ?

Regardant François droit dans les yeux, Dominique ajoute, d'une voix très douce :

— Et les parents, comme me l'a rappelé Jérôme, ça sert à rendre leurs enfants heureux. Profitez-en, François. Faites des folies si vous le voulez. Ça ne me regarde pas. Mais souviens-toi que c'est moi que je vais rendre heureuse en vous voyant profiter de la vie…

Chapitre 13

« La vie est un cadeau du ciel. Et c'est le jour où l'on accepte de se faire confiance que l'on comprend à quel point elle peut se montrer généreuse. »

L.T.-D.

Dans moins d'un mois, Cécile et Jérôme doivent laisser la maison et ils ne savent toujours pas où ils vont habiter. Bien sûr, ils ont visité un nombre respectable de logements, de condominiums. Rien n'arrive à les satisfaire. En désespoir de cause, ils ont même tenté leur chance du côté des appartements pour personnes retraitées autonomes…

— Ouache ! Je n'aime pas l'appellation… Personnes retraitées autonomes… J'ai l'impression qu'on fait référence à une machine. Qu'est-ce que tu en penses Jérôme ?

Fataliste, Jérôme a haussé les épaules.

— Peut-être…

Puis il a regardé autour de lui en grimaçant.

— Sombre. Manque soleil…

Ils sont donc repartis bredouilles. Une fois de plus…

Finalement, après un nombre incalculable de voyages à Québec, ils ont jeté leur dévolu sur deux appartements qui leur semblent acceptables, à défaut d'être la perle rare.

Côté fleuve pour Cécile.

— Ça me fait penser au lever de soleil sur la rivière.

Côté montagne pour Jérôme.

— Comme coucher soleil en Normandie.

Ne reste plus qu'à s'entendre. Ils ont dix jours pour le faire…

Alors, sachant qu'elle finira probablement par céder, Cécile profite de chaque beau matin pour se repaître de l'image de sa chère rivière au moment où le soleil bondit au-dessus des collines et parsème des milliers de paillettes sur la campagne. Si elle a accepté l'idée de quitter la Beauce, elle n'en reste pas moins nostalgique. Chaque matin, comme répondant à l'appel d'une invisible horloge, Cécile ouvre les yeux à l'aube. Si une belle lueur orangée souligne l'horizon, elle se lève. Et après s'être servi un café dans une de ces tasses pour les voyages, elle enfile ses bottes de jardinage.

— Une autre chose que je n'aurai pas besoin d'emporter, murmure-t-elle en glissant les pieds dans les vieux tuyaux de caoutchouc noir qu'elle porte habituellement quand elle s'occupe du potager. Mon Dieu comme tout ça va me manquer!

Et chaque matin, elle entreprend ce qu'elle appelle son pèlerinage. À pas lents, elle remonte le petit sentier, humant l'air encore piquant des vapeurs nocturnes. Elle ne s'arrête qu'au bout du monde, sur sa clôture de perche. « Là où j'ai l'impression de toucher au ciel! » Et pour de longues minutes, elle se contente de regarder, de faire provision de soleil qui brille sur la rivière, de collines caressées par la brume, de chants d'oiseaux qui se poursuivent d'un bout à l'autre du ciel. Quand le jour est bien installé et que l'air se réchauffe, elle revient doucement vers la maison, fermant les yeux lorsqu'elle passe près du verger afin que l'odeur des fleurs de pommiers reste gravée en elle pour l'éternité. Jour après jour, sans se lasser…

Et ce matin ne fait pas exception, même si le fond de l'air est plus froid et que le ciel se couvre lentement vers l'Ouest. Ce n'est qu'une fois bien installée sur sa perche de cèdre qu'elle trouve la lettre que Jérôme a glissée dans la poche de son gros chandail de laine. Cette nouvelle habitude entre eux est une des petites joies du quotidien. Pour un oui, pour un non, Jérôme trouve prétexte à lui écrire mille et une petites choses.

« Ma douce,

C'est encore moi, avec mes idées folles et mes pensées sérieuses. Je sais que probablement tu vas lire cette lettre à l'aube demain matin, perchée comme un corbeau sur ta clôture. Je sais aussi, même si tu n'en laisses rien voir, je sais que tu es triste à l'idée de partir pour la ville. Et je l'avoue, moi aussi. Je ne pensais pas que le sacrifice serait si difficile à vivre. L'odeur du foin, le cri des animaux, la senteur de pommes vont me manquer. Mais ce qui me fait le plus peur, c'est le silence où la vie m'a emmuré. Non pas le silence comme tel, j'y suis habitué, moi qui ai vécu de longues années dans un monastère. Et même ici, le silence ne me dérange pas. J'ai l'impression que la nature parle pour moi. Mais à la ville, dans les bruits de la ville, saurais-je vivre en harmonie avec mon silence imposé ? Je l'avoue, ça me terrorise... C'est pourquoi je propose une trêve ! On oublie tout et on file passer quelques jours chez ton frère Gérard, à Montréal. Avec sa bonne humeur contagieuse et son franc-parler, avec son gros bon sens aussi, je sens que cela va nous faire du bien. Qu'en dis-tu ? J'attends ta réponse à la cuisine devant des œufs au jambon... »

Pendant un long moment, Cécile reste songeuse, fixant la lettre sans la voir. Puis un large sourire éclaire son regard. La voilà la réponse ! De nouveau, elle redevient songeuse, relit la lettre et saute en bas de son perchoir, l'humeur au beau fixe. Tant pis pour les nuages qui se font de plus en plus menaçants, ce matin, Jérôme et elle partent pour Montréal. Et si tout va bien, ce ne sera pas pour une simple visite de courtoisie à Gérard et Marie...

Cécile a l'impression d'avoir retrouvé ses vingt ans tellement elle se sent légère. Elle revient à la maison d'un pas guilleret.

« Des œufs au jambon ? Quelle bonne idée ! Je meurs de faim. »

* * *

Jérôme lui a offert son plus large sourire et Gérard, séduit par la proposition, a poussé des cris de sauvage comme il en avait le secret quand il était enfant et Marie a applaudi comme une gamine.

— Je ne comprends pas ce qui nous poussait à chercher à Québec quand une grande partie de notre famille habite ici, lance Cécile quand elle voit que son idée n'est pas si farfelue qu'elle en avait l'air. Depuis le temps que je me plains de ne pas voir Denis aussi souvent que je le voudrais, ça me donnerait l'occasion de me reprendre. Et de gâter des petits-enfants que je n'ai pas vraiment vus grandir. Les deux fils de Denis sont déjà des adolescents. Et puis, il y a vous deux. Et François, Marie-Hélène, Laurence. Non vraiment, je ne comprends pas…

— Bof, tu sais ce que c'est, analyse Gérard en haussant les épaules. On habite un tout petit coin de la planète et on a l'impression que c'est le bout du monde. On ne voit rien d'autre. Mais y'en a partout des bouts du monde. Bonyenne que chus content ! Ma sœur qui s'en vient en ville ! Ma Cécile…

« Y'en a partout des bouts du monde ! » Pendant un instant, Cécile se retire en elle. Gérard n'aurait pu si bien dire. Finalement, sa clôture de cèdre n'est peut-être pas aussi haut perchée qu'elle le croyait… Curieusement, elle a l'impression de remonter dans le temps. Elle se revoit à dix-huit ans, quittant sa campagne pour rejoindre la tante Gisèle qui habitait la ville. Elle avait la certitude qu'elle ne survivrait pas au dépaysement. Pourtant, elle avait aimé la ville et finalement elle y avait passé la majeure partie de sa vie. Cependant, vif comme l'éclair, le nom de Dominique traverse son esprit. Venir à Montréal, c'est s'éloigner de sa fille. Mais Dominique a aussi Thérèse et René, et Cécile sait à quel point Dominique est attachée à eux. Alors que pour Denis… Puis son regard se pose sur Jérôme. Dans le fond, son bout du monde, c'est lui. Qu'importe l'endroit où ils habiteront, c'est d'être encore ensemble qui est essentiel. Le reste n'a pas d'importance. Alors, revenant à la conversation, elle demande à Jérôme :

— Que dirais-tu de prendre quelques heures demain pour aller chez François ? C'est samedi, toute la famille devrait être là. J'ai tellement hâte de leur annoncer la nouvelle… Et peut-être qu'on peut aider ? Ils déménagent bientôt eux aussi.

Là-dessus, Gérard éclate de rire,

— C'est ben toi, ça ! Toujours prête à aider les autres mais tu sais même pas où c'est que tu vas rester dans un mois. Faudrait peut-être y voir, non ?

La soirée se poursuit dans les rires, les propositions et les arguments…

— Et si vous vous en veniez icitte, lance brusquement Gérard en se tapant le front du plat de la main. Comment ça se fait que j'y ai pas pensé plus vite ? La maison est grande en pas pour rire, on se pilerait même pas sur les pieds. T'aurais même un lac en prime, Cécile. J'sais ben que c'est pas la rivière de par chez nous mais c'est quand même ça. Pis pour Jérôme, j'ai quelques érables dans le fond du boisé en arrière de la maison que je m'amuse à entailler chaque année depuis que chus à la retraite. Lève pas ta main de mère supérieure, Cécile, pis va dormir là-dessus. La nuit porte conseil. On reparlera de tout ça demain. Faut aussi que je consulte Marie pis toi faut que t'en jases avec ton homme. Mais j'pense que l'idée a du bon… Ça serait-tu l'fun, rien qu'un peu. Hein, Jérôme ? T'aimes-tu encore ça jouer aux cartes ? Moé, vois-tu, ça doit ben faire dans les…

Et Gérard de repartir de plus belle, posant des tas de questions, y répondant lui-même la majeure partie du temps. Et à voir le regard brillant de Jérôme, Cécile comprend que son homme est heureux, ici. Alors pourquoi chercher plus loin ?

Ce n'est finalement qu'aux petites heures du matin qu'ils se quittent pour la nuit. Le métier ayant vite repris le dessus, Gérard avait même proposé d'ajouter une aile à la maison.

— Comme ça, c'est sûr qu'on se pilera pas sur les pieds. Bonne nuit la compagnie, moi je m'en vas dormir…

— Et nous aussi. Ne nous cherchez pas demain matin, on va partir de bonne heure…

* * *

Au moment où François sort une tasse de l'armoire pour servir un café à Marie-Hélène qui est encore au lit à regarder la télévision avec Laurence, la sonnette de l'entrée se fait entendre.

— Mais ça devient une habitude, ma parole ! Et pas de chance cette fois-ci : ce n'est pas du genre à ma mère de nous surprendre deux fois de suite. Va-t-on finir par avoir la paix le samedi matin quand il fait beau ?

Mais quand il ouvre la porte, son visage change du tout au tout.

— Mamie Cécile, Jérôme! Mais qu'est-ce qui vous amène ici?

Puis ses sourcils se froncent.

— Pas une mauvaise nouvelle, toujours?

— Ça dépend...

Mais le sourire de Cécile dément si bien l'air sérieux qu'elle essaie de se donner que François s'efface pour les laisser entrer en lui rendant son sourire.

— Essaie pas, Mamie, t'es pas comédienne pour deux sous. Entrez, je préviens Marie.

— Dérange personne pour le moment, fait Cécile en brandissant un sac de papier brun. Je file à la cuisine... On n'était toujours bien pas pour arriver à une heure pareille sans emporter le déjeuner... Installez-vous tous dans le salon, ça va prendre le temps de m'orienter dans vos armoires... Allez, Jérôme, viens m'aider.

Quand Cécile revient au salon, portant la cafetière et les tasses, suivie de Jérôme les mains chargées d'un cabaret débordant de victuailles, elle doit faire appel à plus de trente ans de métier comme médecin pour ne rien laisser voir de l'inquiétude qui lui fouille le cœur lorsqu'elle pose les yeux sur Marie-Hélène. La jeune femme, pâle, les traits tirés semble flotter dans sa robe de chambre. Pourtant, elle accueille Cécile avec un sourire gourmand.

— Hum! Ça va être bon tout ça... Posez le café sur le bord de la cheminée, mademoiselle notre fille a la fâcheuse manie de toucher à tout. Elle pourrait se brûler...

Ils ont tous mangé de bon appétit, Marie-Hélène et François visiblement heureux d'apprendre que Cécile et Jérôme venaient de décider de s'installer dans la région.

— Une décision prise à l'emporte-pièce. Mais plus on y pense et plus elle nous emballe. N'est-ce pas, Jérôme?

Puis ils ont parlé avec enthousiasme de la petite maison que la jeune famille venait d'acquérir.

— À Laval... Ce n'est pas très loin de la ville, mais ça ressemble vraiment à un petit coin de campagne... Et si on y allait cet après-midi? Vous allez voir, c'est superbe! Et le terrain n'est pas si mal...

— Pourquoi pas ?

Pourtant, malgré la bonne humeur générale, Cécile a de la difficulté à se joindre au groupe. Quelques regards de Marie-Hélène quand elle observe François et Laurence qui semblent s'entendre comme larrons en foire et certains sourires empreints d'une grande tristesse l'empêchent de se réjouir vraiment. C'est pourquoi, une fois le repas terminé et la vaisselle rangée, elle se tourne vers Jérôme et lance :

— Depuis le temps que tu me dis que tu aimerais visiter le quartier où travaillait François, ça serait une bonne idée d'en profiter pendant qu'ils habitent encore ici, non ? Et il fait si beau !

Habitué aux manigances de sa douce, Jérôme emboîte le pas sans hésiter.

— Bonne idée !

Et pointant Laurence du doigt, il ajoute :

— Avec bébé ! Jolie…

C'est ainsi que quelques instants plus tard, on entend les pas d'une joyeuse bande qui dévale l'escalier pour profiter de cette belle matinée d'été.

— Et si on s'asseyait au salon ?

La voix de Cécile est douce comme une brise, son sourire est invitant. Marie-Hélène la connaît bien. Et elle sait que la vieille dame a deviné qu'elle aimerait parler. Marie-Hélène qui essaie de cacher sa peur à ceux qu'elle aime. Marie-Hélène qui voit sa santé et sa vie lui échapper comme une poignée de sable qui fuit entre les doigts. Marie-Hélène qui a toujours eu confiance en Cécile et qui étouffe de garder sa tristesse en elle…

Le soleil vient de tourner le coin de la maison et il commence à frôler les meubles du salon. La porte-fenêtre est grande ouverte sur les bruits du parc et les senteurs sucrées de l'été. Marie-Hélène s'assoit en soupirant.

— Je suis heureuse de déménager. Pour Laurence, pour François, mais ça va me manquer, tout ça, laisse-t-elle tomber en regardant autour d'elle.

Puis, regardant Cécile droit dans les yeux, elle ajoute dans un souffle :

— C'est ici que j'ai vécu les plus belles années de ma vie. Avant…

Un silence tout léger envahit le salon.

— Avant la maladie, propose Cécile sur le ton de la confidence.

— Oui…

— Et ta grossesse, et la naissance de Laurence, et le fait qu'elle est en parfaite santé, ce n'étaient pas de beaux moments, ça?

Marie-Hélène dessine son sourire un peu triste, celui qui atteint Cécile au cœur.

— Bien sûr. Vous avez raison. Mais il reste que… J'ai eu peur, vous savez. Cette pneumonie aurait pu m'emporter…

— Oui, c'est vrai. Mais elle ne l'a pas fait.

— D'accord. Pas cette fois-ci… Mais le Docteur Samuel a été très franc: mon organisme n'a pas aussi bien répondu à la médication qu'on l'espérait… On essaie autre chose. Le médecin y croit, moi, je ne sais pas.

Après quelques instants de silence méditatif, elle ajoute dans un murmure:

— Ça fait mal, les espoirs déçus.

Puis elle se reprend:

— Par contre, François, lui, réagit de façon très positive aux traitements. Et c'est très bien ainsi. Avez-vous remarqué comment Laurence regarde son père? On dirait qu'elle a des étoiles dans les yeux.

Cécile ébauche un sourire.

— Oui, j'ai vu. Mais c'est un peu normal; toutes les petites filles sont amoureuses de leur papa.

— Vous croyez? Alors tant mieux. Ce sera plus facile de préparer la relève.

— Pourquoi parler ainsi? Tu viens de dire que ton médecin était optimiste et…

— Et j'ai dit aussi, interrompt Marie-Hélène, que les espoirs déçus font plus mal que pas d'espoir du tout. Disons que c'est ma façon de vivre mon deuil. En préparant la relève, je me prépare à partir.

Après une longue inspiration, elle ajoute d'un trait:

Ce n'est pas facile de penser que tout pourrait peut-être cesser bientôt, avoue-t-elle en montrant l'espace autour d'elle d'un mouvement des bras. Tout ça, ce n'est que du matériel mais c'est aussi ma vie, notre vie… Alors je prépare tout pour que mes deux amours puissent continuer à être heureux… Après…

Cécile retient son souffle, n'osant l'interrompre. Marie-Hélène prend un instant pour regarder autour d'elle, puis elle reprend, songeuse:

— C'est une bonne chose, je crois, de quitter l'appartement. Ici, il y a trop de souvenirs… Tout ce que je demande, c'est d'avoir le temps de bien les installer dans leur nouvelle maison.

— Mais ce sera aussi ta maison, Marie-Hélène…

— Non, je préfère me dire que ça sera chez Laurence et François. Là-bas, il n'y a pas de souvenirs. Pas encore. Ce sera plus facile pour eux si cette maison n'est que leur maison à eux. Je ne veux pas de mauvais souvenirs pour Laurence. Je ne veux que de belles choses autour de ma puce. C'est pour ça que je demande que tout se fasse très vite.

— Mais pourquoi? Les souvenirs sont si importants. Tous les souvenirs sont importants. Pour un instant, Cécile reste songeuse. Puis elle reprend d'une voix absente:

— Même les souvenirs les plus durs ont leur importance. Ils font apprécier les petits bonheurs quand ils passent…

Et comme si elle sortait du sommeil, Cécile pousse un profond soupir avant de poser les yeux sur Marie-Hélène et de poursuivre:

— Il me semble que tu lances la serviette un peu vite. Faut pas lâcher, Marie. Ni maintenant, ni jamais.

Marie-Hélène dessine un sourire fugace, un peu triste.

— Faut pas lâcher, répète-t-elle comme pour elle-même.

Puis elle se relève lentement, regarde de nouveau autour d'elle, soupire. Puis brusquement son regard se durcit.

— C'est peut-être bien ce que je suis finalement: une lâche, une égoïste.

La voix de la jeune femme est tout à coup fébrile, intense.

— Oui, je suis lâche. Parce que ça fait mal là, lance-t-elle en se pointant le cœur. Oui, j'ai peur de mourir et je préfère m'y préparer plutôt que d'entretenir des espoirs stériles qui me feront mal. J'ai peur à hurler, Cécile, et je n'ai pas envie de continuer à vivre avec cette peur qui me tord le ventre. Oui, j'espère partir très vite parce que c'est trop difficile de se lever chaque matin avec la pensée que Laurence va peut-être grandir sans moi. C'est trop dur de l'imaginer vivre sans moi. Je ne suis pas capable, ça fait trop mal.

Puis dans un souffle, épuisée, elle constate :

— Mais pourquoi vous dire toutes ces choses ? Vous ne pouvez pas comprendre.

— Oh ! si, je comprends.

La réponse de Cécile est un cri du cœur même si elle l'a prononcée sur le ton de la confidence. Puis, d'une voix plus forte, elle répète :

— Tu ne sais pas à quel point je te comprends.

C'est alors que Marie-Hélène se souvient. Cécile jeune femme, jeune mère à qui on avait enlevé sa petite fille pour la confier à l'adoption. Elle ne l'avait même pas vue à sa naissance parce qu'elle était endormie et qu'à son réveil la famille adoptive était déjà venue la chercher. Cécile qui a vécu sachant son enfant bien vivante mais loin d'elle. Cécile qui dit, qui a toujours dit, que la vie est une chose merveilleuse. Qui dit aussi qu'il faut croire en la vie parce qu'elle finit toujours par se montrer généreuse…

Marie-Hélène tend alors les bras devant elle, tremblante, le visage mouillé de larmes.

— Alors dites-moi comment faire, Cécile. Parce que moi, je ne sais pas, je ne sais plus. Dites-moi comment faire pour croire en la vie et peut-être que je retrouverai la force de lutter.

D'un geste, Cécile ouvre grand les bras et recueille Marie-Hélène tout contre elle. D'une main très douce, elle essuie ses larmes. Puis, glissant un doigt sous son menton, elle oblige la jeune femme à la regarder.

— Je t'ai déjà parlé de ces années. Tu sais les événements qui ont marqué ma jeunesse. Mais je n'ai jamais parlé de tout ce que j'avais vécu dans mon cœur. Jamais, à personne. Mais si ça peut te donner du courage, alors je vais te raconter ce que j'ai vraiment vécu. Mais d'abord, viens, on va s'asseoir sur le balcon. Dans le fond, c'est un peu ça, mon histoire. Une belle journée d'été comme un cadeau dont il faut profiter. Deux femmes qui attendent leur homme, le cœur heureux. Et la chance que tu as d'avoir une merveilleuse petite fille. Tout est là…

Tout en parlant, Marie-Hélène et Cécile ont gagné le balcon. Les petites chaises de résine blanche les attendaient. Avant de s'asseoir, Cécile prend le temps de regarder autour d'elle. La journée est parfaite. L'air est doux, les oiseaux s'égosillent, les gens se promènent à pas lents. La fontaine, au milieu du parc, projette des milliers de gouttelettes, comme un feu de joie, un feu d'artifice. Alors Cécile pousse un profond soupir en se laissant tomber sur la chaise près de Marie-Hélène. Et les yeux portant très loin devant, comme si elle cherchait à rassembler ses souvenirs, elle dit enfin :

— Vois-tu, Marie-Hélène, j'avais tout juste dix-huit ans. C'était une journée comme aujourd'hui, remplie de soleil, de chaleur et de parfums dans l'air. Quand je m'y attarde, je peux dire que mes souvenirs ont une senteur de fleurs de pommiers.

Tout en racontant, Cécile a l'impression de remonter dans le temps. Elle regarde droit devant et c'est la grosse roche plate à la croisée des rangs qu'elle voit. Et c'est la douleur immense, qui lui donne envie de crier, qu'elle ressent. Elle entend la voix d'Eugène, son père, intransigeante, tranchant froidement dans sa vie et ses espoirs. Puis vient celle de la tante Gisèle, un peu criarde, sèche, mais qui dit avec son affection bourrue qu'il faut garder la foi.

Marie-Hélène a glissé sa main dans celle de Cécile et sans s'en rendre compte, elle la serre très très fort. De toute la force de l'espoir frémissant qui existe toujours en elle et qui ne demande qu'une étincelle pour s'enflammer de nouveau.

Une toute jeune femme et une vieille dame, assises côte à côte, discutant ensemble par une si belle journée d'été. C'est ce que les passants peuvent voir à travers les branches du gros arbre qui frôle le balcon. Mais alors que Cécile voit clairement ses souvenirs dans le vide devant elle, alors qu'elle revit les émotions d'hier, pour Marie-Hélène, c'est un avenir peut-être possible qui se dessine fragilement à travers les mots…

Épilogue

Voilà, c'est fait ! Cécile et Jérôme sont déménagés. À leur arrivée chez Gérard, Denis, le fils de Cécile, leur avait fait la surprise de les attendre pour les aider à emménager. La transition s'est donc faite dans la joie. Bien campé sur ses longues jambes, la main en visière pour ne rien rater, Gérard surveillait le chantier de l'annexe qu'il s'est entêté à faire construire.

— C'est à la mode, les « maisons-générations », avait-il bougonné. Sauf qu'ici, c'est pour deux générations de p'tits vieux qu'on construit. Ça fait pareil…

Après sa visite à François et Marie-Hélène, Cécile avait senti que le médecin qui veillait en elle voulait pousser ses recherches. Alors la vieille dame, si discrète habituellement, s'était décidée à appeler le Docteur Samuel. Les deux médecins s'étaient longuement entretenus de la condition de Marie-Hélène. Un médicament, fort bien connu mais très dispendieux, pouvait probablement l'aider. Cécile en avait parlé avec Jérôme, sachant que la fortune laissée par Charles pouvait lui permettre bien des folies.

— Et alors, avait articulé Jérôme en haussant les épaules, signifiant par là qu'il était tout à fait d'accord.

Puis un éclat malicieux avait traversé son regard.

— Toi et moi, juste besoin amour et eau fraîche…

Cécile et lui étaient sur la galerie de la grande maison blanche et rouge, à quelques jours de leur déménagement. Cécile lui avait rendu son sourire. Puis Jérôme avait respiré profondément, laissant son regard effleurer tout le paysage qui s'étendait devant lui et il avait ajouté, en haussant les épaules encore une fois :

— Hâte pêcher avec Gérard...

Il était ensuite entré dans la maison pour continuer à empaqueter leurs effets.

À son tour, Cécile avait lentement promené les yeux autour d'elle, emmagasinant les moindres détails. Puis, tout comme Jérôme, elle avait haussé les épaules en soupirant.

— Dans le fond, à sa manière, le petit domaine de Gérard a beaucoup de charme, lui aussi, avait-elle murmuré. Peu importe l'endroit où l'on se trouve et les surprises que la vie nous réserve. L'important se joue dans notre cœur et ça, personne ne peut nous l'enlever...

Elle s'était levée, avait jeté un dernier coup d'œil autour d'elle. Un dernier regard comme pour se détacher, un dernier sourire à sa chère rivière, comprenant qu'elle serait toujours présente dans son cœur.

Puis elle était entrée aider son mari. Elle était maintenant prête à tourner une autre page de sa vie.

FIN

Achevé d'imprimer chez
MARC VEILLEUX IMPRIMEUR INC.,
à Boucherville.